Diogenes Taschenbuch 21737

Friedrich Glauser
Sämtliche Kriminalromane
Band 5

Friedrich Glauser

Krock & Co.

Roman

Diogenes

Erstdruck ab 15. September 1937
im ›Schweizerischen Beobachter‹, Basel
Diese Ausgabe bringt den vollständigen Text
der 1941 im Morgarten-Verlag AG Zürich
erschienenen Erstausgabe
Umschlagillustration:
Heinrich Gretler als Wachtmeister Studer
im gleichnamigen Film der Praesens-Film AG Zürich
aus dem Jahr 1939, Regie Leopold Lindtberg
Abdruck mit freundlicher Genehmigung der
Rialto-Film AG Zürich

Veröffentlicht als Diogenes Taschenbuch, 1989

www.diogenes.ch
20/02/8/6
ISBN 3 257 21737 4

Warum war man nachgiebig gewesen? Warum hatte man Frau und Tochter den Willen gelassen? Jetzt stand man da und sollte womöglich die Verantwortung auf sich nehmen, weil man eigenmächtig gehandelt hatte und die Leiche nicht im Gärtlein geblieben war, hinterm Haus, dort, wo sie aufgefunden worden war...

Der Tote lag auf dem weißgescheuerten Tisch im Vorkeller des Hotels zum Hirschen, und über das helle Holz schlängelte sich ein schmaler Streifen Blut. Langsam fielen die Tropfen auf den Zementboden – es klang wie das Ticken einer altersmüden Wanduhr.

Der Tote: Ein junger Mann, sehr groß, sehr schlank, bekleidet mit einem dunkelblauen Polohemd, aus dessen kurzen Ärmeln die Arme ragten, lang und blond behaart, während die Beine in hellgrauen Flanellhosen steckten.

Und neben seinem Kopfe lag das Mordinstrument. Kein Messer, kein Revolver... Eine ungewöhnliche, eine noch nie gesehene Waffe: die Speiche eines Velorades, an einem Ende spitz zugefeilt. Sie war nicht leicht zu entdecken gewesen, denn sie hatte im Körper des Toten gesteckt und kaum aus der Haut herausgeragt. Erst als Studer mit der flachen Hand über den Rücken der Leiche gefahren war, hatte er sie fühlen können. Fast senkrecht war sie in den Körper gestoßen worden, dicht unter dem linken Schulterblatt, und nirgends herausgekommen – weder an der Brust noch am Bauch. Wie viele lebenswichtige Organe dieser Spieß durchbohrt hatte, würde der Arzt erst bei der Leichenöffnung feststellen können …

So wenig ragte das stumpfe Ende aus dem Rücken heraus, daß es eine Zange gebraucht hatte, um die Mordwaffe aus der Wunde zu ziehen.

Doch – um eine erste Frage aufzuwerfen – wie war der Mörder mit diesem Spieß umgegangen? Es mußte doch ein Griff vorhanden gewesen sein – im Augenblick, da der Stich ausgeführt worden war. Hatte man ihn abgeschraubt? Nachher? Es schien fast so, denn eine kaum sichtbare, spiralig verlaufende Linie war in den stumpfen Teil eingeschnitten … Mechanikerarbeit, ohne Zweifel!

Wachtmeister Studer, von der Berner Fahndungspolizei, hätte ums Leben gerne eine Brissago angezündet, aber das ging nicht an, hier, gerade neben dem Toten. So blieb nichts anderes übrig, als hin und her zu laufen im schmalen und kurzen Raum, den eine Birne, baumelnd an einem staubigen Draht, mit einem grausam hellen Licht überschüttete. Und dazu dem Albert Vorträge zu halten …

Jedes dieser Selbstgespräche begann mit der Feststellung:

»Lue Bärtu! Worum, zum Tüüfu, hei mr uff d'Wybervölcher g'lost!«

Albert Guhl, ein kräftiger, breitschultriger Bursche, siebenundzwanzigjährig, Korporal an der Thurgauer Kantonspolizei und in Arbon stationiert, hatte heute Studers Tochter geheiratet.

– Hätte man, fuhr der Berner Wachtmeister zu fragen fort, die Hochzeit nicht gerade so gut in Bern feiern können? Nein, es hatte müssen durchgestiert werden, daß sie in Arbon stattfand. »Weil deine Mutter eine alte Frau ist und sich vor dem Reisen fürchtet? Gut, das ist ein Grund! Ein stichhaltiger?«

Albert Guhl schwieg. Und Studer hob seine mächtigen Schultern – die Hände machten die Bewegung mit und fielen dann klatschend gegen seine Oberschenkel ...

»Und ietz?« fragte er weiter. Langsam näherte er sich dem Tisch, bückte sich und sah dem Toten ins Gesicht ...

Ein unangenehmes Gesicht! Die Nase lang und gebogen, wie ein Geierschnabel, zwei Furchen gruben sich ein von den Nasenflügeln bis zu den Mundwinkeln, die fleischigen Lippen waren geschürzt, entblößten die Zähne – und es sah aus, als lächle der Tote mit all seinen Goldplomben. Und der Blick, bevor dem Toten die Augen zugedrückt worden waren! Studer erinnerte sich an ihn: geladen mit Hohn, im Tode noch!

Sah es nicht aus, als wolle sich der Ermordete lustig machen über die Überlebenden? Kaum hatte der Wachtmeister diese Frage gedacht, stellte er sie laut. Und Albert, der Schwiegersohn, nickte, nickte – aber er tat den Mund nicht auf.

Ob er das Reden verlernt habe, wollte Studer wissen.

Albert sah auf, schüttelte den Kopf und dann sagte er, bescheiden, ohne jeglichen Vorwurf:

»Wir hätten ihn liegenlassen sollen, Vatter.«

»Liegenlassen! ... Liegenlassen! ...« Studer ahmte gehässig den Tonfall des Jungen nach. »Liegenlassen! Damit die Bauern vom Dorf den Boden vertrampeln? Hä? Damit man gar keine Spuren mehr findet? Hä?«

»Spuren!« meinte Albert leise, mit viel versöhnlichem Respekt, der dem Wachtmeister wohltat. »Ich glaub, Vatter, daß man auf dem Boden nicht viel Spuren entdecken kann...«

– Weil er trocken sei wie-n-es Chäferfüdle? Hä? Das wolle der Junge wohl sagen? Dann solle er sich merken, daß ihm, dem Wachtmeister Studer (»mir, nur em Wachmeischter Studer«, betonte er) die Aufklärung eines ähnlichen Falles gelungen war: da sei der Tote auf einem ebenso trockenen Boden gelegen – auf einem Waldboden! (Doch eigentlich war aller echte Ärger aus Studers Stimme verschwunden. – Der Wachtmeister tat nur so. Und Albert merkte dies ganz gut – er lächelte...) – Ganz recht! Auf einem Waldboden! Mit Tannennadeln drauf! wiederholte Studer und stieß seine Fäuste so tief in die Hosentaschen, daß in der plötzlichen Stille deutlich das Geräusch zerreißenden Stoffes zu hören war...

»Sauerei!« murmelte der Wachtmeister. – Nun werde er sein Portemonnaie verlieren... Und warum, seufzte er weiter, um der Tuusigsgottswille warum hatte man den Ausflug ausgerechnet nach diesem Schwarzenstein machen müssen?

»Aber Vatter!« sagte Albert. »Ihr habt doch selber den Hirschen zu Schwarzenstein vorgeschlagen!«

Studer brummte. Es stimmte, leider! Er hatte das Hotel vorgeschlagen. An der Mittagstafel in Arbon war von dem alten Brauch die Rede gewesen; am Hochzeitstag, hieß es, sei es Sitte, mit Kutschen irgendein Dörflein im Appenzellerland aufzusuchen... Und da war dem Wachtmeister eingefallen, daß in Schwarzenstein ein Schulschatz von ihm wirtete. Alte Liebe rostet nicht, sagt man, und somit waren nicht nur zwei Frauen (Studers Gattin und Tochter) am traurigen Ausgang des Festes schuld, sondern drei. Denn das Ibach Anni (jetzt hieß es übrigens Frau Anna Rechsteiner) mußte man dazu zählen, das vor... – vierzig? – achtunddreißig? – kurz, vor vielen Jahren mit dem Studer Köbu in einem Dorfe des Emmentals zur Schule gegangen war...

Das arme Anni! Vor zehn Jahren hatte es den Karl Rechsteiner in St. Gallen zum Mann genommen, und das Ehepaar hatte dann das Hotel in Schwarzenstein gekauft, denn viele Feriengäste kamen im Sommer hier herauf. Zuerst war alles gut gegangen. Aber dann war der Mann krank geworden vor drei Jahren, und zwischendrin hatte er ins Südtirol fahren müssen – zur Kur.

»Auszehrung«, sagte Dr. Salvisberg, der den Kranken behandelte.

Und wirklich, der Rechsteiner sah schlecht aus. Studer hatte ihm, begleitet vom Anni, am Nachmittag einen Besuch abgestattet, und seither wurde er das Bild des Mannes nicht los. Das Gesicht vor allem: glatt, spitz, die linke Hälfte kleiner als die rechte; die Hautfarbe... wie Lätt...

Ja, das Anni hatte es nicht leicht. Es hieß freundlich sein mit den Feriengästen, den kostbaren, damit sie übers Jahr nicht ausblieben! Denn sie brachten Geld ins Haus – und der kranke Rechsteiner brauchte viel! Für Arzt, Apotheke, Kuren.

Und nun dieser Mord! Er konnte die Feriengäste vertreiben – wer wohnt gern in einem Hotel, in dem ein Mord passiert ist? Ein solch geheimnisvoller noch? Für die Zeitungen war solch ein »sensationelles« Verbrechen ein gefundenes Fressen! Und so hatte denn das Anni den Wachtmeister um Beistand gebeten. Konnte man solch eine Bitte abschlagen? Besonders noch, wenn sie von einem Schulschatz kam?

Ja, das Anni! Schon in der Schule hatte das Meitschi viel Mut und Tapferkeit gezeigt. Und wacker war es geblieben. Keine Klage, nur eine schüchterne Bitte, nicht einmal das – eine Behauptung eher: Der Jakob werde schon alles richtig machen ...

Wieder stand Studer neben dem Tisch und betrachtete den Toten ... Kopfschüttelnd nahm er die sonderbare Waffe in die Hand, trat unter die Lampe und untersuchte sie dort eingehend.

Und plötzlich machte er seine erste Entdeckung.

»Bärtu!« rief er leise. Als der Schwiegersohn neben ihm stand, hielt Studer zwischen Daumen und Zeigefinger ein steifes graues Haar. »Lueg einisch!«

»Hm!« meinte Albert.

– Was er mit seinem »Hm« sagen wolle, erkundigte sich Studer gereizt. Ob die Thurgauer alle es vernäits Muul hätten? Was sei das für ein Haar?

»Kein Menschenhaar«, sagte der Albert vorsichtig.

Der Wachtmeister schnaufte verächtlich.

– Daß es kein Menschenhaar sei, könne ein zweijähriges Büebli sehen. Aber von was für einem Tier denn? Geiß? Lamm? Küngel? Pferd? Kuh?

Das Haar, das der Wachtmeister noch immer zwischen Daumen und Zeigefinger drehte, war dünn, steif und glänzend. Lang wie Studers Zeigefinger.

Albert meinte schüchtern, es sehe aus wie ein Hundehaar

– worauf er zur Antwort erhielt, ein Polizist habe nicht zu raten, sondern er müsse seine Behauptungen auch beweisen können. Wie er auf den Gedanken gekommen sei, es könne ein Hundehaar sein?

– Weil bei der Ankunft der Gesellschaft ein langhaariger Hund um die Beine der Pferde gesprungen sei, dessen Fell exakt diese Farbe gehabt habe. Ja, auch die Länge des Haares stimme ...

Studer nickte, klopfte seinem Schwiegersohn auf die Schulter und meinte: – Vielleicht werde doch noch etwas Rechtes aus ihm. Dann ging er zur Türe der Kellerkammer, riß sie auf, und der Zurückbleibende hörte Schritte, die eine Treppe hinanstiegen.

Nach fünf Minuten etwa war der Wachtmeister zurück. Er schob vor sich her ein kleines Männchen mit einer roten Knollennase, deren Gewicht den Kopf des Mannes nach vorne zog.

»Hocked ab«, sagte Studer und stellte einen Stuhl in die Mitte des Raumes, so zwar, daß der Sitzende den Toten nicht sehen konnte.

Und Wachtmeister Studer von der Berner Kantonspolizei begann wieder einmal jenes Spiel, von dem er in schwachen Stunden behauptete, es verderbe den Charakter – doch war es ihm dermaßen in Fleisch und Blut übergegangen, daß er die Pensionierung vielleicht nur deshalb abgelehnt hatte, weil er es nicht missen konnte ... Erstens gab es ihm Macht über seine Mitmenschen und zweitens kannte er dessen Regeln besser als mancher Untersuchungsrichter.

Das Spiel begann mit den üblichen Fragen.

»Name?« – »Küng Johannes.« – »Alter?« – »Neunundfünfzig.« – »Beruf?« – »Stallknecht.« – – – Also er habe die Leiche gefunden? – Ja. – Wo? – Im Garten hinterm Haus. – »Um welche Zeit?«

Das Männlein schwieg. Es rieb mit einem schwarzen Zeigefinger an seiner dicken Nase, stellte dann diese Beschäftigung ein, um eine riesige silberne Zwiebel mit viel Mühe – der grüne Schurz war ihm dabei im Weg – aus dem Gilettäschli zu ziehen; die Uhr wurde lange angestarrt und dann mit leiser Stimme geantwortet: »Viertel vor zehni!« Hierauf verschwand die Zwiebel.

»Sicher?« fragte Studer. »Wills Gott!« antwortete das Mannli. – Warum es dann bis Viertel ab zehn gedauert habe, bis die Wirtin benachrichtigt worden sei? – Er habe, erklärte Küng, zuerst den Pferden noch Haber geben müssen, denn die Gäste hätten doch um halb elf abfahren wollen.

– Und da sei der Tote einfach im Gärtli liegengeblieben? – – – Nicken, langes, schweigsames Nicken.

»Gut ... – Und habt Ihr den Toten erkannt?«

Wieder das schweigende Nicken, das den Wachtmeister langsam ungeduldig machte.

»So red doch, Küng!« sagte er ärgerlich. »Wer war's?«

»Stieger hat er geheißen. Er ist jemanden besuchen kommen. Über den Sonntag. Der Stieger hat in St. Gallen gearbeitet. – Und die andere auch. Ich glaub«, Küng kratzte an seiner Nase, »ich glaub, sie arbeiten beide auf dem gleichen Büro.«

»Die andere?« fragte Studer. »Wie heißt sie?«

»Loppacher! Martha Loppacher. Sie hat Ferien, Erholungsferien hat sie gemacht – weil sie krank war... Vier Wochen ist sie schon hier.«

Schweigen. Studer hatte sein Notizbuch gezogen und schrieb die Namen ein mit seiner winzigen Schrift.

»Stieger«, schrieb er, malte ein Kreuz hinter den Namen und »Loppacher Martha«. Dann wurde ihm plötzlich bewußt, daß alles bis jetzt wirklich nur ein Spiel gewesen war, denn was er da gefragt hatte, wußte er schon. Aber es war so viel anderes dazugekommen: Aufregung, das Schreien der Frauen, der Transport der Leiche. So fühlte der Wachtmeister das Bedürfnis, Ordnung in seine verwirrten Gedanken zu bringen.

»Vier Wochen?« fragte er gedankenvoll. »Und was hat sie in der Zeit getrieben?«

»Hä ... Spaziergäng g'macht, g'lese ... ond off de Wees g'schlofe ... Ond karisiert ...«

Studer blickte zu seinem Schwiegersohn hinüber, aber dem schien nichts aufgefallen zu sein. So mußte sich denn der Wachtmeister ganz allein an der Ausdrucksweise des Küng Johannes ergötzen.

»Karessiert?« wiederholte er. »Wie meinet Ihr das?«

»Eh de Narre g'macht mit de Mannsbilder.«

»Mit wem? Mit allen? Oder nur mit einem?«

»B'sonders mit's Grofe-n-Ernst. Isch gar en suubere Feger, de Grofe-n-Ernst ...«

– Wie heiße der Mann? Graf Ernst? Und was treibe er? – Er sei Velohändler ... – Was sei er? Velohändler? – Ja, Velohändler. – Und habe der Graf Ernst etwa einen Hund? – »Seb glob i!« – Was für einen Hund? – Die Herren hätten ihn sicher gesehen. Bei der Ankunft sei er um die Beine der Rosse gesprungen ...

Studer sah den Hund deutlich vor sich: Eine Art Spitz,

kein reinrassiges Tier, mit einem grauen Fell; dicht standen die starren Haare.

Velohändler? – Die Waffe war die Speiche eines Fahrrades! Und dieser Velohändler hatte auch noch einen Hund?... Halt! Ein Hundehaar und eine Speiche waren noch keine Beweise?... Nein! Es gehörte noch mehr dazu...

Vor allem mußte man diesen Graf Ernst kennenlernen. Was hatte der Küng behauptet? Der Mann sei ein... ein... richtig! »En suubere Feger.« Darunter stellte sich Wachtmeister Studer einen Dorfgückel vor, einen hübschen, nicht sehr gescheiten Burschen, der es verstand, den Frauenzimmern schön zu tun. Um so erstaunter war er, als er auf seine Frage nach dem Alter des Graf Ernst die Antwort erhielt, der Mann sei über fünfzig.

»Über fünfzig?« wiederholte Studer erstaunt. Ob das nicht ein wenig alt sei für »en suubere Feger«? Da platzte das Mannli mit der roten Kartoffelnase los, es lachte und lachte. Dies Lachen aber machte den Wachtmeister wild, denn Studer verstand, daß man ihn verspotten wollte... Es war die Strafe dafür, daß er sich, als Berner Fahnder, in einem fremden Kanton mit einem Mordfall beschäftigte. Aber, weiß Gott, er hatte es ja nur getan, um dem Anni Ibach, dem Schulschatz aus vergangenen Zeiten, zu helfen!

Dieser Küng Johannes war das erste spürbare Hindernis. Wäre es nicht gescheiter, den Schwiegersohn vorzuschikken? Der stammte aus der Nähe und kannte die Gebräuche besser, auch die Sprache... Nein! Gerade dem Schwiegersohn mußte man zeigen, daß man noch nicht zum alten

Eisen gehörte, daß die »Gäng-gäng«, wie sie in der Ostschweiz die Berner nannten, keine Dubel waren …

Die Hitze im Vorkeller war schier unerträglich. Fliegen summten um die Lampe, setzten sich auf das Gesicht des Toten, liefen über seine nackten Arme.

Dem Wachtmeister war das Spiel plötzlich verleidet. Studer hätte keinen Grund für seine plötzliche Müdigkeit angeben können. Er hatte den Verleider! Basta! Morgen kam der Verhörrichter mit seinem Aktuar und dem Chef der Appenzeller Kantonspolizei. Mochten die Herren sich dann weiter um den Fall kümmern. Das einzig Langweilige an der Sache war, daß niemand das Hotel verlassen durfte und die Hochzeitsgesellschaft deshalb hier übernachten mußte … Ein teurer Ausflug würde das werden! Drei Kutscher, sechs Pferde … und die Hochzeitsgesellschaft: die Mutter des Albert, zwei Onkel, drei Tanten … Aus Bern waren nur die Eltern der jungen Frau mitgekommen. Studer nahm sich vor, mit der Mutter seines Schwiegersohnes die Kosten des Ausfluges zu teilen …

Er warf noch einen Blick auf den Toten und jagte den Albert und den Küng zur Tür hinaus; dann verlangte er von der Wirtin ein Leintuch, um die Leiche zuzudecken. Lange, sehr lange starrte er in das Gesicht des Toten. »Gemein!« flüsterte er. »Gemeinheit … Das ist das richtige Wort!« Und bedeckte das Antlitz endlich …

Dann löschte er endgültig das Licht, versperrte die Tür und begab sich in den ersten Stock. Seine Frau lag schon im Bett; darum trat er auf den Balkon hinaus, zündete eine Brissago an und blickte über das stille Land.

Die Straße war ein langes weißes Band, das sich rechts

und links in der Dunkelheit verlor. Ein Bach plätscherte ... Die Juninacht roch nach gemähten Wiesen, Blumen und verzetteltem Mist. Noch ein anderer Geruch drängte sich auf, den Studer zuerst nicht kannte. Aber dann wußte er plötzlich, was es war: Es roch deutlich nach rostigem, altem Eisen, das die Sonne erhitzt hat und nun die tagsüber aufgespeicherte Wärme ausatmet. Der Wachtmeister beugte sich vor und sah rechts von der Wirtschaft, am Straßenrand, einen baufälligen Schuppen. Und nun – ein Wolkenvorhang zerriß plötzlich, der Mond, nicht größer als ein Zitronenschnitz, streute sein Licht über die Landschaft – war rund um den Schuppen ein Gewirr zu sehen: Alte Räder, viel Draht, rostige Faßreifen ... Auf der Schuppenwand aber schimmerte ein weißes Schild, auf dem mit dunklen Buchstaben stand:

Ernst Graf, Velohändler

Soso! »De Grofe-n-Ernst« – wohnte gerade neben dem *Hotel* »zum Hirschen«.

Im Schlafzimmer meinte eine verschlafene Stimme, der Vater solle doch ins Bett kommen. Morgen sei auch noch ein Tag. Da warf Wachtmeister Studer von der Berner Kantonspolizei seufzend die nur halb gerauchte Brissago fort, so daß sie auf der Straße unten wie ein mißratenes Feuerwerk ein paar Funken von sich gab.

– Hoffentlich, meinte das Hedy noch, bringe diese Mordgeschichte den Kindern kein Unglück.

»Chabis!« sagte Studer, der nur im geheimen ein wenig abergläubisch war. Dann legte er den Kopf auf die gefalteten Hände und starrte in die Dunkelheit. Der Mond wanderte – nun schien er ins Zimmer und der Wachtmeister fand, er gleiche jemandem ... Er grübelte, grübelte. Und plötzlich wußte er es: Der Rechsteiner, der kranke Wirt des Hotels »zum Hirschen« hatte ein unregelmäßiges Gesicht, wie der Mond, der am Abnehmen war.

Studer erwachte um halb vier. Draußen war es schon hell. Er stand leise auf, um seine Frau nicht zu wecken, nahm dann seine schwarzen Schnürschuhe in die Hand, schlich hinaus und über den Gang die Treppen hinab. An der Tür des Vorkellers blieb er eine Weile stehen, lauschte ... Im ganzen Hause herrschte die gleiche Stille wie hinter der Tür. Sachte schloß Studer auf, trat in den Vorkeller und blieb vor dem Tisch stehen. Er wußte selbst nicht, was er hier wollte. Aber plötzlich kam ihm in den Sinn, daß er am Abend vorher die Kleider der Leiche nicht untersucht hatte. Er schlug das weiße Leintuch zurück – das Taschendurchsuchen würde nicht schwierig sein. Es kamen ja nur die Hosen in Frage ...

Ein Portemonnaie ... Vier Zwanzigernoten, drei Fünfliber, Münz ... Ein Nastuch. Ein Sackmesser an einer Kette ... In der hinteren Tasche ein dickes Portefeuille.

Briefe, Briefe, Briefe ... »Herrn Jean Stieger, Sekretär, Bahnhofstraße 25, St. Gallen ...«

Hm. Der Herr Stieger konnte sich nicht Johann oder Hans nennen wie ein gewöhnlicher St. Galler. Sondern »Jean«! Er hatte sich wohl eingebildet, es sei vornehmer.

Auf allen Briefumschlägen die gleiche Schrift. Zwanzig Umschläge – aber alle leer!

Verständnislos schüttelte Studer den Kopf. Was hatte das für einen Sinn, leere Enveloppen mit sich herumzuschleppen? Der Wachtmeister sah sich die Marken näher an: sie trugen den Poststempel von Schwarzenstein. Und als er die Umschläge auf einer freien Ecke des Tisches geordnet hatte, konnte er feststellen, daß der erste am 12. Mai aufgegeben worden war und der letzte am 20. Juni. In neununddreißig Tagen zwanzig Briefe – das machte im Mittel alle zwei Tage einen Brief. Auch der Absender war nicht schwer festzustellen: »Fräulein Marthe Loppacher, Hotel zum Hirschen, Schwarzenstein.« Und Studer schüttelte den Kopf. Das mußte eine eingebildete Gans sein, diese Loppacher! Sich auf dem Absender »Fräulein« zu nennen!

Wo aber waren die Briefe hingekommen, die sicher gestern noch in den Enveloppen gesteckt hatten? Studer starrte vor sich hin. Er sah wieder deutlich die Szene im Gärtlein hinterm Haus: Zwei Taschenlampen gaben ein spärliches Licht. Der Stallknecht Küng hielt eine der Lampen, und Albert, der Schwiegersohn, die andere. Der Tote lag auf dem Bauche und – Studer bedeckte seine Augen mit Daumen und Zeigefinger, er wollte das Bild sehen, das Bild des Toten – – – nun sah er es! Sicher, ganz sicher war die hintere Hosentasche, die man gewöhnlich die Revolvertasche nennt, zugeknöpft gewesen! Eine Klappe bedeckte ihren oberen Teil, die Klappe hatte ein Knopfloch, und ein dunkelschimmernder Knopf hielt die Klappe fest...

Das war gestern gewesen, ein Viertel nach zehn. Dann hatte Studer seinen Schwiegersohn gerufen und zusammen mit dem Albert die Leiche in den Vorkeller getragen...

Und heut morgen war die Tasche aufgeknöpft und die zwanzig Briefumschläge leer...

Daß der Schlüssel des Vorkellers die ganze Nacht in Studers Tasche geblieben war, hatte nichts zu bedeuten. Es waren wohl noch mehr Schlüssel zu dieser Tür vorhanden. Blieb also nur die Frage offen, welchen Sinn es haben konnte, die Briefe zu entwenden und die leeren Umschläge zurückzulassen. Wäre es nicht einfacher gewesen, gleich beides an sich zu nehmen: Brief und Umschlag? Der Wachtmeister steckte das Portefeuille zurück und ließ die leeren Enveloppen in der Busentasche seines schwarzen Kittels verschwinden. Er dachte daran, daß er seinen Photographenapparat mitgebracht hatte. Das war eine Arbeit für die heutige Nacht – und auf diese Arbeit freute er sich. Aber er brauchte noch Verschiedenes: zwei Schachteln Platten, einen Kopierrahmen, Entwickler, Fixierer, Verstärker...

Gewissenhaft verschloß Studer die Türe des Vorkellers, strich auf Socken lautlos durch die unteren Gänge des Hotels, bis er endlich eine offene Hintertüre fand. Er hockte ab, zog die Schuhe an und trat hinaus in den Morgen, der frisch war und angefüllt mit dem überlauten Gesang der Vögel. Nach sechs Schritten schon waren seine Schuhe naß. Es lag viel Tau auf den kurzen Gräsern...

Unter dem Schild »Ernst Graf, Velohändler« befand sich eine Tür, die Flügel mit roter Farbe gestrichen... Es war ein unangenehmes Rot, das an geronnenes Blut erinnerte. Ein senkrechter, festgeschraubter Griff und darüber ein bewegliches Eisenplättli. Studer drückte es mit dem Daumen herab, während seine Hand den Griff gepackt hielt – die Tür war nicht verriegelt und ging auf.

Das Innere des Hofes war ein getreues Abbild der äußeren Umgebung des Hauses: altes Eisen lag umher. Irgendwo grunzte ein Schwein, Ziegen meckerten, ein Schaf bähte. Aber dies friedliche Konzert wurde übertönt von einem lauten Bellen, das wütend anschwoll, leiser wurde, weil das Tier entweder heiser geworden war oder ein Halsband es würgte. Der Tür gegenüber stand eine Hütte, an die, doch niederer als sie, ein Stall angebaut worden war. Aus diesem drang der Morgenchor der Tiere und das heisere Bellen. Studer schritt auf das Haus zu, klopfte kurz an und stieß die Türe auf. Auch sie war unverschlossen.

Aber er trat nicht gleich ein, denn die Luft, die ihm entgegenschlug, war zum Schneiden dick: Tabakrauch, Schweiß, Tiergeruch...

»He! Graf! Syt-r uuf?« Schweigen. Studer lauschte und wurde ganz leicht von einer Angst angerührt: als stimme etwas nicht, auch hier. Aber dann beruhigte ihn wieder ein tiefes, regelmäßiges Schnarchen. Der Velohändler mußte einen tiefen Schlaf haben, und wenn das Sprichwort vom guten Gewissen, das ein sanftes Ruhekissen ist, nicht log, dann hatte Ernst Graf sicher nichts mit dem Morde zu tun.

Ein kleiner Morgenwind streichelte Studers Rücken, schlich in die Kammer, tanzte dort umher, wirbelte wieder ins Freie. Und der Wachtmeister war dem Winde dankbar, daß er die verpestete Luft vertrieb...

Ein schmieriger Tisch inmitten der Stube... Darüber an einem schwarzen Draht eine Glühbirne ohne Schirm. Der Schaft in der Ecke dort stand schief. Ein Kalender an der Wand – der einzige Wandschmuck – mit einem Helgen inmitten der Monatsreihen. Spinnweben – in den Ecken, um die Lampe am Draht... Ein rostiger Herd und darauf ein Spritapparat... Aber wo lag der Mann?

Studer schob die Türe zu, und hinter ihr entdeckte er ein schmieriges Deckenbündel, aus dem das Schnarchen drang. Er trat näher, beugte sich nieder – der Mann hatte sich bis über den Kopf zugedeckt. Nun rüttelte ihn der Wachtmeister. Das Schnarchen hörte auf, Studer rüttelte stärker, und plötzlich flogen die Decken beiseite. Aber nicht den Mann sah der Wachtmeister zuerst, sondern ein winziges Säuli, rosafarben und sauber, blickte zu ihm auf, blinzelte ins Licht und schrie dann hoch und durchdringend. Nun erst erblickte Studer den Mann.

Er war fast schwarz im Gesicht, und an dieser Farbe waren sowohl die Bartstoppeln als auch der Schmutz schuld. Der Mann hatte sich nicht ausgezogen, er trug ein blaues Mechanikergewand, den Kittel über der Brust geöffnet, so daß darunter ein Hemd sichtbar wurde, das sicher einmal, aber vor langen Zeiten, blau gewesen war.

»Hä?« machte der Mann, ballte die Fäuste und rieb sich die Augen. »Hä?« fragte er noch einmal, sah sich in der Küche um, rief laut und krächzend: »Ideli!« Da trabte das Färli herbei, folgsam wie ein Hund, der auf seinen Namen hört, und legte sich, friedlich seufzend, auf die Decken. Und der Mann streichelte das Tier.

Graf tat, als sei er überhaupt allein im Raum. Er stand auf und kratzte sich ausgiebig. Des Mannes Haare waren schwarz, mit einem Stich ins Bläuliche, und wuchsen so weit in die Stirn, daß sie fast die Brauen erreichten. Die Stoppeln bedeckten die Wangen schier bis zur Nase und aus dem Kinn stachen sie auch...

Bloßfüßig tappte der Velohändler durchs Zimmer und schien etwas zu suchen, öffnete den Schaft, kramte darin herum – übrigens war das Innere wohlgeordnet, und saubere Wäsche lag, sorgfältig übereinandergeschichtet, auf den Gestellen. Endlich hatte er gefunden, was er suchte. Er hielt in der Rechten einen winzigen runden Taschenspiegel und betrachtete sich eingehend darin. Und Grimassen schnitt er dazu!

Dann trabte er zur Tür hinaus, der Chor der Tiere schwoll an, und Studer sah ein merkwürdiges Schauspiel.

Ein Schaf kam heran und rieb seine Schnauze an den Hosenbeinen des Mannes. »Salü Müüsli!« sagte Graf. Und er erkundigte sich, ob es gut geschlafen habe; dann zwei Ziegen, schneeweiße, ohne Hörner, mit weißen Troddeln zu beiden Seiten des Kopfes. »Jä, Mutschli!« sagte der Mann und fragte, ob sie Hunger hätten. Die beiden Ziegen nickten weise, trabten davon, gefolgt vom Schaf, fanden eine Öffnung im Hag und begannen das Gras, das zwischen dem alten Eisen hervorschoß, eifrig abzurupfen. »Ond 's Bäärli!« sagte der Mann, während er den tanzenden Hund losband. Um sich aber mit dem Hunde zu verständigen, gebrauchte Graf eine so sonderbare Sprache, daß der Wachtmeister kein Wort verstehen konnte.

Studer stand inmitten des kleinen Hofes und kam sich recht lächerlich vor in seiner schwarzen Festkleidung. Sie paßte weder zur Sonne, deren Strahlen schon gehörig wärmten, noch zum alten Eisen; sie paßte nicht zu der Erscheinung des Grofe-n-Ernst und auch nicht zu den Tieren. Diese schwarze Feiertagskleidung umgab ihn wie ein Panzer und schloß ihn ab von der Außenwelt, von den Bäumen, den Gräsern, den Tieren und von dem bluttfüßigen Mann ...

Dieser pumpte Wasser in ein Becken und spielte dann Seehund. Er steckte den Kopf in die Schüssel, zog ihn heraus, schneuzte, schüttelte sich. Dann zog er die Mechanikerkutte und das Hemd aus, bückte sich ganz tief und pumpte sich Wasser über den Rücken. Kläffend umsprang ihn der Hund, dem plötzlich das volle Becken über den Kopf geschüttet wurde, so daß er es seinem Herrn gleichtat mit Schütteln, Pusten und Niesen. Vor der Haustür aber lag das Färli, hatte alle viere von sich gestreckt und blinzelte in die Sonne.

»Ideli!« rief der Mann, und als das Säuli sich nicht rührte, ging er es holen und wusch es unter der Pumpe mit einer alten Waschbürste.

Gerade als Studer den Graf anrufen wollte – denn langsam wurde er ungeduldig, weil er es nicht gewohnt war, als Luft behandelt zu werden – erkundigte sich der Mann, ob der Wachtmeister eine Tasse Kaffee wolle. Studer gab es einen Ruck. Woher kannte ihn der Velohändler? Wieso kam Graf dazu, ihn bei seinem Titel anzureden? Er habe, erklärte der Mann, eigentlich die ganze Nacht auf den Wachtmeister gewartet, aber als es zwei geschlagen habe, sei ihm das Warten zu dumm geworden und er sei schlafen gegangen.

Und jetzt habe man ja auch noch Zeit ... »Komm mit!« sagte der Mann und duzte Studer ganz ungeniert. Nun war das Duzen dem Fahnderwachtmeister ziemlich gleichgültig – im Bernbiet war es eine alte Sitte auf dem Lande ... Aber in der Hütte Kaffee trinken? Auf dem schmutzigen

Tisch? Womöglich aus ungewaschenen Tassen? Studer hatte Lust, sich zu bedanken, um sein Sonntagsgewand zu schonen und nebenbei auch seinen Magen; gerade wollte er ablehnen, als die Falle am Hoftor mit lautem Geklick in die Höhe schnellte, die Türe aufging und ...

... auf der Schwelle stand »Fräulein« Martha Loppacher – und das »Fräulein« dachte sich der Wachtmeister wirklich in Anführungszeichen. Sie hatte sich am gestrigen Abend reichlich überspannt benommen, die Hände gerungen, geschluchzt und geschrien, daß es allen zuviel geworden war und sich Frau Studer entschlossen hatte, das »Fräulein« mit Gewalt ins Haus zu führen.

Nun stand sie auf der Schwelle des Hoftores in einem ärmellosen Rock, der ziemlich kurz war. Die Fingernägel rot bemalt, die Augenbrauen ausrasiert und mit dem Stift nachgezogen, die Lippen genau so rot wie die Fingernägel. Der kleine Morgenwind, der so freundlich das stinkige Zimmer gelüftet und diese nützliche Beschäftigung bis jetzt weiter betrieben hatte, ergriff die Flucht: er fürchtete sich offenbar vor der dicken Puderschicht, die Fräulein Loppachers Wangen bedeckte ...

Tränen? Traurigkeit? ... Keine Spur! Lächelnd trat Martha näher, und sie sprach ein Schriftdeutsch, das sie für vornehm hielt.

»Auch schon auf? Guten Morgen, Herr Studer; wie geht es Ihrer lieben Frau? Sie hat sich so mütterlich meiner angenommen, daß ich ihr ewig, ewig Dankbarkeit schuldig bin. Guten Morgen, Herr Graf.« Sie reichte dem schwarzen Mann (denn die Waschung hatte nur wenig genützt – das Gesicht war und blieb schwarz) gnädig die Hand.

Der Velohändler nahm die dargebotenen vier Finger in seine Pratze und drückte, drückte, bis das Fräulein einen hohen Göiß ausstieß.

»Du Suumage!« sagte das Fräulein. »Wotsch losla!«

Studer nickte. Er war im Bild.

Und er sperrte sich nicht länger, als der Velohändler seine Einladung wiederholte. Er schritt voran, führte seine Gäste aber nicht in sein Schlafzimmer, sondern öffnete eine Tür rechts von diesem. Und der Raum dahinter sah wesentlich anders aus.

Eine Werkstatt, sehr sauber. Unter einem Fenster ein Tisch mit Schraubstöcken. Neben dem Fenster waren Lederstreifen an die Holzwand genagelt, in denen die Werkzeuge steckten: englische Schlüssel, Schraubenzieher, Feilen... Velorahmen, umwickelt mit braunem Packpapier, hingen von der Decke, und eine kleine Feldschmiede stand in einem Winkel. Graf scharrte die Asche von den Kohlen, trat den Blasbalg; er warf Holzkohlen auf die geringe Glut, ging ein Pfännlein mit Wasser am Brunnen füllen und stellte es aufs Feuer. Wieder trat er den Blasbalg, und als das Wasser zu summen begann, holte er einen Sack Kaffee aus einem weißgehobelten Wandschrank.

Dann lag ein Tischtuch auf dem unteren Ende des Werkzeugtisches, und darauf standen drei Tassen, eine Kaffeekanne, Brot, Butter, Honig.

Ernst Graf hatte ein sauberes Hemd angezogen.

Eines war klar: die beiden, der Velohändler und das Bürofräulein, waren ineinander verliebt.

Um dies festzustellen, brauchte es nicht viel Beobachtungsgabe. Die Blicke, der Ton der Worte, das »Du«, das sich nicht unterdrücken ließ, sondern immer wieder durchbrach... Studer schmunzelte, und zugleich war es ihm ein wenig eng um die Brust... Denn er hatte, der Himmel mochte wissen warum, zu dem »suubere Feger« eine ehrliche Zuneigung gefaßt. War die Liebe, die der Mann den Tieren entgegenbrachte, an dieser Zuneigung schuld, oder seine rauhbauzige und zugleich doch freundlich-kameradschaftliche Art? Der Wachtmeister schüttelte unmerklich den Kopf, während er sachte über das Fell des Hundes »Bäärli« fuhr und nachher die Haare betrachtete, die in seiner Hand zurückgeblieben waren. Kein Zweifel – das Haar, das an dem Mordinstrument geklebt hatte, stammte von diesem Hund. Armer Hund! Sein Meister würde diesen Abend wohl im Gefängnis zu Trogen schlafen. Laßt nur erst den Verhörrichter und den Chef der Kantonspolizei kommen! Die Herren würden ohne weiteres den Mann beschuldigen...

Velohändler – – – und die Mordwaffe war eine Radspeiche, vorn spitz zugefeilt. Zweitens: Das Hundehaar – – – und drittens: Die Herren brauchten sich nur ein wenig den Dorfklatsch anzuhören, dann hatten sie ihr Motiv, den Beweggrund zur Tat fein säuberlich auf der flachen Hand.

...Eifersucht!

Und Studer fühlte, daß er machtlos war – hier, in diesem fremden Kanton.

Angenommen, er versuchte, den Verhörrichter von der Unschuld des Ernst Graf zu überzeugen. Was würde die Folge sein? Er glaubte, schon jetzt das Lachen zu hören, das die Herren schütteln würde. Was! Ein einfacher Fahnder, ein fremder Schroter – noch dazu aus dem Bärnbiet – wollte klüger sein als ein studierter Herr? Hahahaha... Er solle heimfahren, würde es heißen, und sich nicht in Angelegenheiten mischen, die ihn nichts angingen! – Denn wer wußte im Kanton Appenzell A.-Rh., daß Wachtmeister Studer früher wohlbestallter Kommissär an der Stadtpolizei in Bern gewesen war? Daß er bei Groß in Graz, bei Reiß in Lausanne und bei Locard in Lyon gearbeitet hatte? Daß man gewöhnlich ihn an die Polizeikongresse delegierte?...

All das nützte hier nichts. Es handelte sich darum, den Fall anders anzupacken. Erstens: man mußte sich im Hintergrund halten. Zweitens: es war notwendig, alle Mitspieler kennenzulernen, sich einzuschleichen, nach und nach, in ihr Vertrauen, mit ihnen zu leben, eine Zeitlang, um dann die kleinen Beobachtungen, die alltäglichen, zusammenzusetzen, wie man ein Steinbett legt als Fundament einer Straße. Stein an Stein, geduldig... Endlich ist der Weg fertig und er führt zum Schuldigen...

Das alles aber würde Zeit kosten, viel Zeit!

Mira! dachte Studer. Er hatte eine Woche Ferien genommen, um seine Tochter zu verheiraten, und war gewillt, diese Woche auszunutzen. Die Luft hier war gesund – gesünder sicherlich als in der Thunstraße zu Bern, wo der Wachtmeister in einer Dreizimmerwohnung hauste. Fragte sich nur, ob er allein in Schwarzenstein bleiben oder seine Frau und das junge Ehepaar auch gleich hier behalten sollte... Nein, dachte er, die Familie war einem doch nur im Weg. Aber den Albert brauchte er! Es würde Tränen geben, Frauen waren in solchen Dingen unvernünftig und unbelehrbar. Aber Studer hatte in den fünfundzwanzig Jahren seiner Ehe gelernt, wie man seinen Willen auch gegen Tränen und Klagen durchsetzen kann. Man rundet den Rücken, zieht den Kopf zwischen die Schultern und vergräbt die Hände tief in die Taschen der Hose oder des Kittels. Und wartet, bis der Regen aufhört...

Nein, den Albert wollte er hier behalten. Studer spürte es in allen Gliedern – es war ein Gefühl wie vor einem Gewitter, wenn die Luft schwül ist und noch ganz wenig Wolken über dem Horizonte sichtbar sind – er spürte es: der Mord an diesem Jean Stieger war nur ein Anfang... Doch wozu sich über die Zukunft den Kopf zerbrechen!...

– Ob er wisse, fragte der Wachtmeister den Graf, daß als Mordwaffe die spitz zugefeilte Speiche eines Velorades benützt worden sei?

Der andere nickte. Er sei ja bei der Entdeckung der Leiche dabeigewesen. – So? – »Wills Gott! Sicher, sicher!« – Wo er denn gestanden sei? – Oh, ganz im Hintergrund, denn er habe nicht gewollt, daß die Wirtin ihn sehe. – Die Wirtin? – Ja, das Rechsteiner Anni. Es werde böse, wenn er sich in der Umgebung der Wirtschaft zeige... – Warum? – Eh, die beiden, Mann und Frau, behaupteten immer, daß er mit seinem alten Eisen und mit seiner Unordnung die Gäste vertreibe. – Und sei das wahr? – Nein, nein. Ganz im Gegenteil. Die Kurgäste kämen gern zu ihm in die Werkstatt plaudern...

»Warum haben Sie dem Verstorbenen alle zwei Tage Briefe geschrieben, Fräulein Loppacher?« fragte Studer plötzlich. Er sah dabei den Velohändler an und nicht die Martha. Graf verzog das Gesicht, als ob er Zahnweh habe, er öffnete den Mund und schien etwas fragen zu wollen. Seine Fäuste lagen geballt auf der Tischplatte, reglos, aber seine Unterarme durchlief ein leises Zittern. »Jeden zweiten Tag?« flötete Fräulein Loppacher. »Sie übertreiben, Herr Studer! Gewiß, ich hab ihm öfters geschrieben, aber meist nur geschäftliche Dinge, wir arbeiten auf dem gleichen Büro und da Herr Stieger während meiner Abwesenheit einen Teil meiner Arbeit übernommen hatte, so mußte ich ihm Auskunft geben über manches... über manches...«, wiederholte sie und trommelte mit ihren bemalten Nägeln auf dem Tisch.

»Das Büro«, fragte Studer, »ist doch in St. Gallen? Ja? Und womit beschäftigt es sich?«

»Es ist«, die Antwort kam stockend, »es ist ein juristisches Büro... Beratung in geschäftlichen Angelegenheiten, in schwierigen, zivilrechtlichen Fällen – Abfassung von Testamenten und Schenkungsurkunden. Daneben haben wir es auch unternommen, in besonders verwickelten Fällen Nachforschungen anzustellen, Verschollene wieder aufzufinden. Schließlich ist noch eine Abteilung angegliedert, die sich mit Auskünften befaßt...«

»Auskünften?«

»Ja. Eine Art Privatdetektivbüro, verstehen Sie?«

»Und wer ist der Inhaber dieses Büros?«

»Joachim Krock. Aber Herr Stieger war daran beteiligt. Er hatte Geld im Geschäft und war darum Leiter des Detektivbüros. Wir zwei haben dort zusammen gearbeitet.«

»Und waren verlobt?«

»Aber nein! Was denken Sie! Niemals!«

Der Velohändler seufzte tief und erlöst. Es klang, als ob der Blasbalg der Feldschmiede sich leere.

»Und gestern hat Ihnen Herr Stieger einen geschäftlichen Besuch gemacht?«

»J ... a. Jawohl!« Ganz ehrlich klang die Antwort nicht, aber man mußte sich vorläufig mit ihr begnügen. Denn gleich danach kam eine Frage: »Woher wußten Sie, Herr Studer, daß ich so eifrig mit Herrn Stieger korrespondierte?«

»Weil ich Ihre Briefe bei ihm gefunden habe.«

»Meine Briefe? Das ist nicht möglich. Die liegen sicher in St. Gallen.«

»Und das hier?« fragte Studer, zog das Paket Umschläge aus der Busentasche und zeigte sie dem Fräulein.

Eigentlich, dachte der Wachtmeister bei sich, sollte es den Frauen polizeilich verboten werden, sich anzumalen und zu pudern. Unter der Schicht, die ihre Wangen bedeckt, können sie leicht, nur allzu leicht, ein Erröten sowohl als auch ein Erblassen verbergen. Wirklich, es war nicht festzustellen, welchen Eindruck die Briefe auf das Fräulein machten, denn zu allem senkte sie noch halb die Oberlider und den Rest der Augen verdeckten die Wimpern, die lang waren und natürlich geschwärzt ...

»Darf ich sehen?« fragte Fräulein Loppacher. Und streckte die Hand aus ... Die Hand zitterte kaum merklich.

»Es tut mir leid«, sagte Studer. »Aber ich muß die Briefe der Untersuchungsbehörde übergeben ... He!« rief er plötzlich, aber es war schon zu spät. Der Velohändler hatte des Wachtmeisters Hand am Gelenk gepackt, eine kurze Drehung, dann hielt der das Päckli triumphierend in der Linken und reichte es seiner Freundin. Martha Loppacher blätterte die Umschläge durch, zuckte mit den Achseln: »Sie sind ja leer!« und gab sie Studer zurück.

Der Wachtmeister war nicht einmal wütend. ›Du, Ernstli!‹ dachte er, ›wirst zur Strafe ein wenig im Chäfi hokken müssen.‹ Und er steckte wortlos das Päckli wieder in die Tasche.

Es war nicht mehr viel zu holen beim Velohändler Graf... Schließlich, dachte der Wachtmeister, war er nicht gekommen, um das Beisammensein zweier Verliebter zu stören...

Der Graf hielt das Färli auf den Knien, exakt wie einen Säugling, und ließ es aus einer Flasche saugen. Um sich einen unauffälligen Abgang zu sichern, stellte Wachtmeister Studer eine Frage:

»Habt Ihr das Säuli gekauft?«

Die Antwort erstaunte ihn. Der Velohändler erklärte, alle Tiere, die in seinem Stall ständen, seien ihm geschenkt worden. Als Jungtiere habe er sie von den Bauern der Umgegend erhalten, halb krepiert, aber bei ihm seien sie wieder gesund geworden. Er habe sie zu sich ins Bett genommen...

»Er ist ein heiliger Antonius!« sagte das bemalte Fräulein. Studer blickte sie böse an und verlangte dann, sie solle die Heiligen nicht verwechseln. Soviel er wisse, sei es der heilige Franziskus gewesen, der die Tiere liebgehabt habe...

Schweigen. Das Färli seufzte tief, wie ein gesättigtes Kindlein. Grofe-n-Ernst ließ es springen. Aber es blieb neben ihm stehen, aufrecht, und legte seine Vorderpfoten auf die Schenkel des Mannes.

»Wiederluege!« sagte der Wachtmeister. Der Hund begleitete ihn bis zum Hoftor, still, fast traurig, so, als fühle er, daß seinem Herrn Gefahr drohe. Studer streichelte den spitzen Kopf, sagte: »Ja, ja, Bäärli!« Aber nur müde wedelte der Hund mit seinem buschigen Schweif.

Als der Wachtmeister über die kleine Wiese ging, die das Hotel von dem Hause des Velohändlers trennte, fielen ihm zwei Dinge auf:

Auf der Straße stand ein niedriges, rotgestrichenes Rennauto... Und aus den offenen Fenstern des Speisesaales tönte Klavierspiel.

Er zog seine Uhr: es war sechs Uhr morgens.

Die Saaltochter wischte die Steinstiegen, die zum Eingangstor des Hotels führten, mit einem feuchten Feglumpen. Studer fragte, ob seine Frau schon aufgestanden sei. Kopfschütteln, schweigsames Kopfschütteln... Und die anderen von der Hochzeitsgesellschaft? – Wieder das Kopfschütteln. – Aber ein Gast sei schon gekommen?... Nicken.

Genau wie sein Schwiegersohn, genau wie der Stallknecht Küng!... Hatte die Saaltochter auch einen vernähten Mund? Ungeduldig fragte der Wachtmeister, wer denn der frühe Gast sei...

»Ein St. Galler... Ein Freund vom Verstorbenen«, sagte die Saaltochter und klatschte dem Wachtmeister den nassen Feglumpen gegen die Hosenbeine. Der neue schwarze Anzug! – Ob sie nicht aufpassen könne?... Schweigen. Studer mußte lächeln. Er fragte und bediente sich der italienischen Sprache, warum das Fräulein (»perchè la signorina«) auf ihn böse sei.

Und es ging, wie es immer geht, wenn man es versteht, die

Menschen zu nehmen. Die Saaltochter, eine schwarzhaarige robuste Person, reckte sich, wurde rot... Studer erfuhr, die Signorina heiße Ottilia Buffatto, Otti nenne man sie hier, und es tue ihr leid, o so leid, daß sie... Den Satz beendete sie nicht, sondern sprang fort, kam mit einem sauberen Lumpen und einem Becken Wasser zurück und begann die Hosen des Wachtmeisters abzureiben. Während dieser Beschäftigung lief das Gespräch weiter.

Ja, die Wirtin! Sie sei eine tapfere Frau (»una donna valorosa«) trotz dem Unglück, das sie getroffen habe... Immer auf dem Posten, von morgens früh bis spät in die Nacht... Jetzt zum Beispiel sei sie schon im Speisesaal und leiste dem frühen Gast Gesellschaft... – Dem Klavierspieler? – »Già.« Allerdings! – Und wer denn der Klavierspieler sei?

Otti, die Saaltochter, bedauerte unendlich, doch sie wisse es nicht. Der Herr sei noch nie hier gewesen.

Die Hosen waren wieder sauber. »Grazie!« sagte Studer. Im Speisesaal schwieg das Klavier. Aber nur kurz. Dann dröhnte in den Frühlingsmorgen hinaus ein Trauermarsch. Der frühe Gast spielte wohl für den Toten, der unten im Vorkeller auf das Erscheinen der Behörden wartete...

Sie war schier mit den Händen zu greifen, die Spannung, die im leeren Speisesaal herrschte. Das Ibach Anni (Studer konnte sich nicht entschließen, seinen ehemaligen Schulschatz »Rechsteiner« zu nennen) stand neben dem Klavierspieler und redete auf ihn ein. Ja, fast sah es so aus, als spiele der Mann nur dann Klavier, um ein Belauschen des Gespräches unmöglich zu machen...

Die beiden stritten sich! Kein Zweifel. Sie stritten sich

mit leiser Stimme, und die Wirtin des Hotels »zum Hirschen« hatte die Hände geballt. Sie fuchtelte mit den Fäusten in der Luft.

Studer versuchte, sich leise zu nähern. Vergebliche Mühe! Der ganze Speisesaal mußte durchquert werden, und nicht nur die Latten des Parkettfußbodens knarrten, sondern auch des Wachtmeisters Stiefel. Und gleich beim ersten Knarren fuhr das Anni herum, stupfte den Spieler mit der Faust... Der Trauermarsch brach ab, der Sitz des Hockerli drehte sich und der Mann stand langsam auf...

Aus seinem hellen, graublauen Kittel wehte ein langes, zart-cremefarbenes Poschettli und am kleinen Finger der Rechten blitzte ein erbsgroßer Diamant. Eine fliehende Stirn mit spärlichen schwarzen Haaren, ein glattes Gesicht mit Wulstlippen über einem Doppelkinn – und zartgelb, wie das Poschettli, waren Hemd und Krawatte.

»Krock.« – »Studer.« – »Sehr erfreut.« – »Gleichfalls.«

Es klang wie eine Kriegserklärung, und vielleicht war es auch eine... Herr Krock hatte dicke Lider und benutzte sie, um seine Augen darunter zu verstecken.

»Sie sind der Polizist, der die ersten Feststellungen gemacht hat?«

Studer beantwortete die Frage gar nicht, sondern verlangte sein Frühstück.

»Anni«, sagte er, »i hätt gärn es Chacheli Gaffee...« Das Anni nickte majestätisch.

»Otti!« rief es. Die Saaltochter erschien unter der Tür und die Wirtin gab die Bestellung weiter...

Also wollte sie den Wachtmeister nicht mit dem Fremden allein lassen!...

Gut. Mira. Der Wachtmeister nahm die Herausforderung an.

»Sind Sie extra so früh von St. Gallen fortgefahren, um mir bei der Aufklärung des Mordes zu helfen, Herr Krock?« fragte er, setzte sich unaufgefordert an einen Tisch in der Nähe des Klaviers.

»Man hat mir gestern telephoniert, daß hier ein Unglück geschehen ist...« Herr Joachim Krock setzte sich dem Wachtmeister gegenüber. Er sprach ein ganz reines Schriftdeutsch. Anni lehnte sich ans Klavier.

»Man?« fragte Studer.

»Mein Bürofräulein, wenn es Sie interessiert... Um Mitternacht...«

»Sie haben tüchtige Angestellte.« – »Ja.«

Schweigen. Eine Wespe setzte sich auf den Rand der Konfitürenschale, Herr Krock vertrieb sie aufgeregt mit seiner Serviette. Dann räusperte er sich und meinte:

»Glauben Sie nicht, daß Sie eine zu schwere Verantwortung auf sich genommen haben? Sie sind in einem fremden Kanton. Die hiesige Behörde wird Ihre Selbständigkeit nicht gutheißen!«

Herr Krock sprach durch die Nase, er saß da mit gewölbten Schultern, die Fäuste rechts und links von seinem Teller aufgepflanzt.

»Wenn es so ist, werde ich es selbst tragen müssen«, sagte Studer trocken, und auch er sprach schriftdeutsch. »Haben Sie den weiten Weg von St. Gallen bis hierher gemacht, um mir das zu sagen?«

»Nein. Ich habe nur nach einigen Briefen gefahndet, die mein Sekretär mitgenommen hat.«

»Die hier?« fragte Studer, zog die Briefumschläge, die er bei dem Toten gefunden hatte, aus der Tasche und legte sie vor sich auf den Tisch. Dazu machte er ein einfältiges Gesicht.

»Erlauben Sie«, sagte Herr Joachim Krock und wollte das Päckli aufnehmen. Aber er war nicht schnell genug. Eine Frauenhand schoß zwischen den Gesichtern der Männer auf den Tisch hinab und packte die Enveloppen.

»Sie sind leer!« sagte die Wirtin enttäuscht.

»Leer?« wiederholte Herr Krock. Studer nickte. – Er habe sie so gefunden, meinte er, und das Anni möge so gut sein und ihm das Päckli wieder umegäh ...

Es fiel gerade auf die Butter. Der Wachtmeister hob es auf, sein Gesicht blieb ruhig. Nur die unterste Enveloppe war ein wenig fettig. Das schadete nicht viel.

»Aber Anni!« sagte Studer.

Warum interessierte sich die Wirtin für die Briefe, die einer ihrer Kurgäste an einen unbekannten Menschen geschrieben hatte?

»Haben Sie Martha Loppacher nirgends gesehen?« fragte Herr Krock. »Ihr Zimmer war leer und Frau Rechsteiner hat mir mitgeteilt, daß Fräulein Loppacher immer früh aufstehe ...«

»Wowoll«, sagte Studer mit vollem Mund. Und fügte bei, die Weggli seien gut, ganz frisch. Ah! Und da komme ja auch schon der Gaffee!

– Ob sich Herr Studer schon eine Ansicht über den Fall gebildet habe? wollte Krock wissen. – Ansicht? Der Wachtmeister nahm einen Schluck aus der Tasse, wischte sich umständlich den Schnurrbart und meinte dann: Ansichten habe er nie. Er warte, bis er sich eingelebt habe. Dann ergebe sich die Lösung des Falles von selbst...

Da wurde Herr Joachim Krock eifrig: – Wie? Bei einem so klaren Tatbestand wolle Herr Studer noch von »sich einleben« sprechen? Wo es doch auf der Hand liege, daß niemand anders als der eifersüchtige Velohändler den Mord begangen habe! Es sei lächerlich, durchaus lächerlich! ... Und wischte sich mit dem Poschettli die Stirn. – Verzeihung, meinte Studer darauf. Er habe ganz vergessen, daß er es in Herrn Krock mit einem Kollegen zu tun habe ... Herr Krock sei doch selber eine Art Fahnder, ein Detektiv? Nid wahr? Und er, Studer, sei froh, mit einem Manne zusammenarbeiten zu dürfen, dessen kriminalistische Kenntnisse den seinen sicher überlegen seien ...

Und dann schnappte der Wachtmeister nach seinem bestrichenen Weggli, denn die Konfitüre lief ihm über die Finger.

Als er aufblickte, konnte er feststellen, daß in den Augen seines Gegenübers ein unangenehm drohender Ausdruck lag. Aber das erschütterte ihn weiter nicht, er wandte sich der Wirtin zu und fragte sie, wie es ihrem Manne gehe.

Und Frau Rechsteiner antwortete, der Karl habe ganz ordentlich geschlafen nach der ersten Aufregung. Der Doktor habe ihm ja auch ein Mittel gebracht. Wenn nur der ewige Nachtschweiß nicht wäre! Der schwäche den Karl so. Zwar auch dagegen habe der Doktor etwas verschrieben – und es wirke auch; aber es sei ein starkes Gift ...

Studer sprach mit vollem Mund auf sein Gegenüber ein:

»Der Velohändler also, meinen Sie? Motiv: Eifersucht? Es kann ja stimmen«, meinte er gedankenvoll. »Aber dann wird das ein neuer Schlag sein für Ihre Bürolistin, Herr Krock. Denn das Fräulein Loppacher ist augenblicklich in diesen Velohändler verliebt. Ich hab sie vor einer Viertelstunde verlassen, und da saß sie in der Werkstatt vom Graf.«

»Die Gans!« Das Schluß-»s« zischte Herr Krock ganz gewaltig.

»Gans? O nein!« meinte Studer friedlich. »Ich muß zugeben, daß ich im allgemeinen bemalte Frauenzimmer nicht leiden mag. Aber das hat sicher nichts mit den Qualitäten des Fräulein zu tun. Oder?«

»Nein. Sonst ist Fräulein Loppacher sehr brauchbar.«

»War er tüchtig, der Herr Stieger?« fragte Studer. Doch wartete er die Antwort nicht ab, sondern stand auf und ging auf eine Gruppe zu, die unter der Tür stand.

Unter Herrn Krocks spöttischen Blicken begrüßte er zuerst seine Frau mit zwei lauten Küssen auf beide Wangen, dann mußte seine Tochter die gleiche, ungewohnte Zärtlichkeit über sich ergehen lassen. Albert, dem Schwiegersohn, schüttelte Studer lange die Hand und nicht anders erging es Mutter, den Basen und Vettern. Er war so ganz der biedere, zärtliche Familienvater, daß Herr Krock sich mit einer geflüsterten Bemerkung an Frau Rechsteiner wandte. Beide lachten.

Dem Berner Wachtmeister entging dies nicht. Er nickte ganz unmerklich seinem Schwiegersohn zu, deutete verstohlen auf das Paar beim Klavier. »Aufpassen!« murmelte er. Albert glotzte verständnislos und Studer hob die mächtigen Achseln. Er hatte die Landjäger aus dem Thurgau wohl überschätzt.

Um neun Uhr kam Dr. Salvisberg, der Arzt, der den Wirt des Hotels »zum Hirschen« behandelte. Zuerst stieg er in den ersten Stock hinauf, um seinen Patienten zu untersuchen. Dann erst verlangte er die Leiche Jean Stiegers zu sehen. Und um zehn Uhr erschien die Behörde ... Verhörrichter Dr. Schläpfer mit Aktuar. Kantonspolizeichef Zuberbühler mit zwei Fahndern.

Darauf durften die drei Kutschen mitsamt der Hochzeitsgesellschaft – zwei Onkel, drei Tanten, die beiden Mütter und die jungverheiratete Frau – gen Arbon fahren.

Im Hotel »zum Hirschen« blieben zurück: Wachtmeister Studer und sein Schwiegersohn Albert.

Das Hedy, Wachtmeister Studers Frau, hatte versprochen, allerlei zu besorgen und nach Schwarzenstein zu schicken. Platten, Kopierrahmen, Entwickler, Verstärker – und vor allem: Sommerkleidung! Studer hielt es nicht mehr aus in seinem schwarzen Anzug.

Um vier Uhr nachmittags fuhr die Behörde wieder von dannen. Kurz vorher hatte sie Graf Ernst, Velohändler, geboren am 3. März 1887 zu Trogen, Kt. Appenzell A.-Rh., verhaftet, weil er im Verdacht stand, Stieger Jean, Sekretär, geboren 28. August 1900, wohnhaft in St. Gallen, Bahnhofstraße 15, vorsätzlich und mit Vorbedacht ermordet zu haben.

Fräulein Martha Loppacher, Bürolistin in der Auskunftei Joachim Krock, St. Gallen, hatte darauf ihr Zimmer im Hotel »zum Hirschen« aufgegeben und war in die Werkstatt des Velohändlers Graf übergesiedelt. Frau Anni Rechsteiner-Ibach hatte sich bereit erklärt, dem Fräulein ein Bett zu vermieten.

Um sechs Uhr nachmittags erschien in dem Weiler Schwarzenstein Graf Fritz, Bruder des Verhafteten, ein schiefes Männlein mit einem Buckel und verzerrten Gesichtszügen. Auch Graf Fritz nahm Wohnung im verlassenen Hause seines Bruders.

Um Viertel ab acht Uhr aßen drei Herren im großen Speisesaal zu Nacht. Nach dem Essen, punkt halb neun, stand Herr Joachim Krock vom Tische auf, reckte sich und ging zum Klavier. Er spielte vier Takte und fiel dann von seinem Stuhl.

In seinen Mundwinkeln stand Schaum, seine Augen waren weit aufgerissen und die Pupille so groß, daß man die Iris kaum mehr sah. Wachtmeister Studer hob den eleganten Herrn, den Krämpfe schüttelten, vom Boden auf und trug ihn mit Hilfe seines Schwiegersohnes hinauf in das Zimmer Nr. 7, das Herr Krock belegt hatte. Dann rief er den Doktor Salvisberg an, der versprach, zu kommen.

Aber als der Arzt nach einer Viertelstunde erschien, war Joachim Krock schon tot. Dr. Salvisberg stellte eine Vergiftung fest.

Betrat man das Zimmer, so sah man den Kranken zuerst nicht. Denn der Kopf des Bettes stand gerade neben der Tür, von ihr einzig durch ein Nachttischlein getrennt, auf dem Medizingütterli und Pillenschächteli standen. Man öffnete die Tür und hatte den Eindruck, ins Freie zu treten: eine riesige Glastür, die vom Fußboden zur Decke reichte, öffnete sich auf einen Balkon, von dem man weithinaus ins Land blicken konnte – und in der Ferne schimmerte der Bodensee.

Studer betrat das Krankenzimmer hinter Doktor Salvisberg und, wie gestern schon, erschrak er über das Aussehen des Wirtes.

Ein mageres Gesicht, die rechte Seite kleiner als die linke, wie der Mond, wenn er abnimmt, der Nasenrücken scharf; die Augen glänzten hellbraun wie unreife Haselnüsse. Starr blickten sie geradeaus, unbeweglich – und unbeweglich blieben sie auch. Wollte der Kranke die Richtung seines Blickes ändern, so drehte er den ganzen Kopf: nach rechts, nach links. Oder er hob und senkte ihn ... Seine Stimme war weinerlich.

– Was man denn schon wieder von ihm wolle? »Grüezi, Herr Dokter. Salü Studer! Wend-er Platz neh ...« Es sei heut gar nicht gut gegangen ... Der Puls! ... Und das Herz! ... Und auch die Nieren täten ihm wieder weh ... »Jechter o-ond-oh! Han i Schmerze!«

Die Hände krochen auf der Decke herum und erinnerten an Meertiere, Krabben. Undenkbar schien es, daß zwischen Haut und Knochen noch Fleisch vorhanden war – die Haut mußte auf den Knochen liegen und dann wirkte sie wohl hart und spröde wie ein kalkiger Schalenpanzer.

Dr. Salvisberg setzte sich nicht. Er begann unter den Medikamenten auf dem Nachttisch zu stöbern. Nahm ein Schächteli auf, ein anderes, ein drittes, suchte weiter, öffnete die Schublade, warf auch dort Kartonschachteln durcheinander – schließlich blickte er auf und fragte, wo die Medizin sei, die er Herrn Rechsteiner gegen den Nachtschweiß verordnet habe.

Wie spitz waren die Schultern, die sich unter dem Nachthemd hoben! Dann drehte der Mann im Bett seinen Kopf ganz nach rechts – und weil die Augen nun im Schatten lagen, schienen sie dunkler, dunkel wie angefeuchtete Kleie...

»I-wäß-es-nöd... Nei bym Strohl nöd!«

»Was isch es gsy, Herr Doktr?« erkundigte sich Studer.

Dr. Salvisberg setzte sich, schlug ein Bein übers andere, seine Linke schloß sich um den Fußknöchel, während der rechte Arm schlaff über die Lehne des Stuhles hing.

»Eine Mischung«, sagte er leise. »Atropin und Hyoscin...«

»Tollkirsche und Bilsenkraut«, murmelte Studer.

Der Arzt blickte den Wachtmeister erstaunt an.

»Potztuusig, Wachtmeister«, meinte er. »Ich hab' gar nicht gewußt, daß Sie sich so gut auf Gifte verstehen. Wo haben Sie das gelernt?«

Studer saß da, ein wenig nach vorne geneigt, in seiner Lieblingsstellung, Unterarme auf den Schenkeln, Hände gefaltet. – Das tue nichts zur Sache, meinte er. Er wisse es, und beim Anblick der vergrößerten Pupillen des Toten seien ihm die Gifte eingefallen, von denen der Doktor soeben gesprochen habe.

Dr. Salvisberg blickte mißtrauisch auf den Berner Fahnder und erinnerte sich, daß sich dieser Studer heute der Behörde gegenüber etwas reichlich sonderbar benommen hatte. Gewiß, der Verhörrichter hatte den Wachtmeister mit einigem Respekt, auch mit viel Gutmütigkeit behandelt und alles gelten lassen: den Transport der Leiche in den Vorkeller, das eigenmächtige Verhör, das mit Küng Johannes angestellt worden war, den

Besuch beim Velohändler Graf. Der Chef der Kantonspolizei hörte sogar aufmerksam, als Studer behauptete, der Graf Ernst sei unschuldig. Und fast entschuldigend meinte darauf der Verhörrichter: Der Wachtmeister habe wahrscheinlich recht, auch ihm komme es vor, als stecke mehr hinter dem Fall, als es jetzt den Anschein habe – aber... aber... Das Rad, zu dem die Speiche passe, sei in der Werkstatt drüben gefunden worden, das Haar an der merkwürdigen Mordwaffe stamme zweifellos vom Spitz, und der Graf habe ja zugegeben, daß er auf den nun ermordeten Stieger eifersüchtig gewesen sei. Auch könne er kein Alibi beibringen ... »Alibi!« hatte da Studer gesagt, ziemlich verächtlich. »Ihr mit euren Alibis! Wie soll ein einsam wohnender Mann beweisen können, daß er wirklich daheim gewesen ist!« ... Und dann habe der Stallknecht des Hotels den Graf gestern abend ums Haus schleichen sehen.

Dies ganze Gespräch ging dem Arzte durch den Sinn, als er auf des Wachtmeisters gesenkten Kopf starrte. Vom Bett her erkundigte sich der Kranke, ob es wieder etwas gegeben habe ... – Nein, nein! beruhigte ihn der Arzt. Sie seien nur zu einem kleinen freundschaftlichen Besuch gekommen – »nöd wohr?« (Studer nickte), und er, der Arzt, habe sich überzeugen wollen, ob das Mittel gegen den Nachtschweiß immer noch vorhanden sei.

»Habt Ihr viel Besuche gehabt heute nachmittag?« fragte Studer, ohne den Kranken anzublicken.

– Die Herren von der Behörde, aber die seien nur kurz dagewesen. Doch ermüdet habe ihn dieser Besuch. Dann sei gegen sechs Uhr Fräulein Loppacher gekommen, um sich zu verabschieden. Sie wolle zügeln, habe sie erzählt, hinüber in des Velohändlers Haus … *Ein* Mensch müsse sich doch um die armen verlassenen Tiere kümmern.

»War sie lang bei Euch, die Loppacher?« fragte Studer.

– Eine Viertelstunde, lautete die Antwort. Eine Viertelstunde, nicht mehr.

»Wo ist sie gesessen?«

Rechsteiner wies auf den Stuhl, auf dem Studer saß.

»Hat sie sich mit Euren Medizinen beschäftigt?«

– Das könne er nicht sagen, er habe die ganze Zeit zum Fenster hinausgeblickt, die Wolken über den Hügeln seien so schön gewesen, richtig wie geschmolzenes Silber …

»Und niemand hat Euch sonst besucht?«

– Das Anni sei ein- oder zweimal nach ihm schauen gekommen. Ah! Nun falle es ihm ein! Wowoll, noch ein merkwürdiger Besuch sei dagewesen, ein Mann, den er nie erwartet hätte, hier im Krankenzimmer zu sehen …

»Der Herr Krock?« fragte Studer, aber Rechsteiner schüttelte langsam den Kopf. – Nein, nein. Der Bruder des Velohändlers sei plötzlich im Zimmer gestanden. »Ich hab nicht einmal die Tür gehen hören, denn ich hatte gerade das Fenster geöffnet, um den Abendwind hereinzulassen. Da beugte sich jemand über mich, und ich erschrak, denn ich erkannte das Gesicht zuerst gar nicht. Es ist so lange her, seit der Fritz Graf Schwarzenstein verlassen hat, ich glaub, er hat vor fünf Jahren – es war noch vor meiner Krankheit – mit dem Ernst Streit gehabt und ist nach St. Gallen. Dort hat er in einer Fabrik gearbeitet. Und plötzlich steht er bei mir im Zimmer. ›Was willst, Fritz?‹ hab ich gefragt. ›Sitz ab. Traurig‹, sag ich, ›ist's dem Ernst gegangen. Und alles wegen einem Weibsbild. Schad um ihn, schad um ihn!‹ Da lacht der

Fritz, lacht nur, sagt kein Wort und geht wieder zur Türe. Dort kehrt er sich um: ›Hab nur sehen wollen‹, sagt er, ›wie's dir geht, Rechsteiner. Kannst du noch laufen?‹ Und dann macht er die Tür von außen zu, ohne meine Antwort abzuwarten.«

»Zwei Besuche«, stellte Studer fest. »Die Loppacher und der Bruder des Verhafteten.« Wieder war der Arzt an das Nachttischli getreten und plötzlich sagte er: »Sie sollten nicht soviel Schlafmittel brauchen, Rechsteiner. Ich habe es Ihnen schon einmal gesagt. Das ist schädlich! Vorgestern hab ich Ihnen ein Fläschli gebracht, und jetzt ist es schon halb leer. Das ist unvernünftig!« Des Wirtes Gesicht verzog sich, es sah aus, als ob der Mann weinen wolle. Da sagte eine Stimme: »Ach, Herr Doktor, plaget meinen Mann nicht. Wenn Ihr wüßtet, wie schlecht er schläft in der Nacht – und dann ist er nicht allein schuld. Gestern hab ich selbst vom Schlaftrunk genommen, weil ich zu aufgeregt war.«

Das Anni stand im Zimmer und Studer konnte sich nicht erklären, woher die Frau gekommen war. Denn er saß ganz nahe an der Tür, die in den Gang hinausführte. Doch als er sich weiter im Zimmer umblickte, entdeckte er neben der Balkontüre, an der Wand, die rechtwinklig zu ihr stand, eine Klinke. Also dort war die Tür! Sie war kaum zu sehen, denn sie war von oben bis unten mit der Tapete überzogen, die sich über die Wand spannte. Der Wachtmeister stand auf, drängte sich an der Frau vorbei, drückte die Klinke herab …

Ein zweites Schlafzimmer, aber dunkel, nur in einer Ecke ein winziges Fenster. Ein schmales Eisenbett davor, ein Tisch mit Kamm und Haarbürste. Daneben ein Buch. Studer nahm es in die Hand. Er lächelte. Es war kein Buch, sondern ein Heftli über Kräuterkunde ... Es war besser, der Doktor sah es nicht, darum legte es der Wachtmeister mit dem Titelblatt nach unten wieder an seinen Platz und verließ auf den Fußspitzen das Zimmer.

Dann empfahlen sich die beiden Männer von dem Kranken. Studer fand gerade noch Zeit, dem Anni zuzuflüstern, er erwarte es in einer Viertelstunde drunten vor dem Haus. Die Wirtin nickte. Ihr Gesicht war bleich und starr. Und dies war vollauf zu begreifen.

Auf dem Gange erkundigte sich der Wachtmeister, ob es möglich sei, daß das verschwundene Medikament zur Vergiftung des Joachim Krock gedient habe.

»Ich präpariere«, erwiderte der Arzt, »meine Medizinen gewöhnlich selbst. Bei diesen Kügeli hab ich eine Ausnahme gemacht und das Rezept nach Heiden in die Apotheke geschickt. Wissen Sie, Wachtmeister, es waren winzige Zuckerkügeli und jedes enthielt etwa ein tausendstel Gramm von jedem der beiden Gifte. Im ganzen waren es etwa hundert Kügeli. Ein Tausendstel mal hundert gibt bekanntlich ein Zehntel. Und ein zehntel Gramm – es hätte vollauf genügt.«

Studer nickte. Blieb die Frage übrig, wie das Gift dem Joachim Krock beigebracht worden war. Im Essen? – Nein. Sonst hätten sie beide, er und Albert, auch daranglauben müssen ...

»Soviel ich weiß, ist das Hyoscin geschmacklos. Und das Atropin?«

»Atropin hat einen ganz schwachen, bitteren Geschmack ...«

Bitter? ... Hatte der Herr aus St. Gallen etwas Bitteres gegessen? ... Bitter! Was gab es Bitteres? – Und plötzlich klatschte sich der Wachtmeister mit der flachen Hand gegen die Stirn.

... Er sieht deutlich ein Bild vor sich: Den Speisesaal, und auf dem Tisch beim Klavier ist für drei Personen gedeckt. Vor jedem Teller steht ein Glas, gefüllt mit einer durchsichtig-braunen Flüssigkeit. »Was ist das?« fragt er die Saaltochter, die heut morgen ihren Feglumpen an seinen schwarzen Sonntagshosen abgewischt hat. »Wermut!« antwortete sie. Am Klavier aber sitzt Herr Joachim Krock und spielt einen Walzer, so langsam und traurig, daß er wie ein Bußlied der Heilsarmee tönt ... Ottilia stellt die Suppenschüssel auf den Tisch, tritt neben den Musizierenden und meldet ihm, das Nachtessen sei aufgetragen. Studer steht mit dem Rücken zum Tisch, seine Hände sind beschäftigt. Herr Krock steht auf, er sieht Studer an, sieht den Albert an, ergreift sein gefülltes Glas ... »Prost!« – »G'sundheit!« – »G'sundheit!« – Das Klirren der Gläser, einige Tropfen der braunen Flüssigkeit fallen aufs Tischtuch ... Suppe. Kalter Braten. Salat. Erdbeeren ... In einer Viertelstunde ist das Essen beendet. Herr Joachim Krock steht auf, geht zum Klavier, dessen Deckel er nicht geschlossen hat, so daß die Tasten in der einbrechenden Dunkelheit weiß schimmern. Er setzt sich auf das Drehsesseli ... Wankt er nicht? Nein, das ist wohl Täuschung. Denn kräftig fallen seine unbehaarten weißen Hände auf die Tasten ... Ein Akkord ... Der Trauermarsch von heute morgen ...

Und dann liegt der Mann am Boden, krümmt sich. In seinen Mundwinkeln bildet sich Schaum und seine Pupillen sind so groß, daß sie die Iris geschluckt haben... Der Wachtmeister und sein Schwiegersohn tragen den Toten hinauf in sein Zimmer und legen ihn sanft aufs Bett...

»Äksküseeh, Herr Doktr!« murmelte Studer. Er müsse hurtig öppis go luege. Er sprang die Treppen hinab, nahm drei Stufen auf einmal und langte atemlos in der Küche an. Unter der Türe blieb er stehen und überblickte den Raum. Kein Schüttstein... Studer lief am großen Herd vorbei, und vorbei an der mageren Köchin, die ihn erstaunt anstarrte. Da war die Abwaschkammer.

Schmutziges Geschirr: Teller, Schüsseln... Und die Gläser? Da standen sie, alle drei, auf einer Ecke des Tisches, in einem Mauerwinkel, wo es dunkel war. Sie waren noch nicht gespült worden. Studer ging in die Küche zurück, verlangte einen Bogen Zeitungspapier und verpackte die Gläser sorgfältig darin. Vorsichtig: denn er gab wohl acht, nur die Füße der Gläser zwischen Daumen und Zeigefinger zu nehmen.

Hernach stieg er langsam die Treppen hinauf, legte das Paket in seinem Koffer ab und begab sich nach dem Zimmer Nr. 7.

Das Bett, auf dem der Tote lag, war ein richtiges Hotelbett, die Bettpfosten aus Messing und oben mit Kugeln gekrönt, in denen sich die Glühlampe spiegelte, die oben an der Decke festgeschraubt war. Albert stand vor dem offenen Koffer und hatte seinen Inhalt auf dem Tisch beim Fenster fein säuberlich ausgelegt. Studer, die Hände auf dem Rücken, musterte die Gegenstände. Nichts Interessantes: Viele Fläschli und Tuben; ein Giletteapparat, schwer versilbert, Pinsel, Rasiercreme. Nagelfeile, Schere. Was aber den

Wachtmeister am meisten wunderte, war die Abwesenheit jeglichen beschriebenen Papiers: keine Akten, keine Briefe, nichts.

...Zu dieser Feststellung wollte eine andere gar nicht passen; auf dem Tisch lag eine Füllfeder, deren Deckel abgeschraubt war, und sie lag neben der Löschblattunterlage so, als habe der Schreiber sie nur für einen kurzen Moment abgelegt...

Die Löschblattunterlage! Studer trug sie unter die Lampe und ließ das Licht voll darauffallen. Das oberste Blatt war neu und einige Schriftzüge ließen sich darauf erkennen. Schriftzüge von grüner Tinte. Vorsichtig nahm Studer die Füllfeder auf und kritzelte einige Buchstaben auf eine Seite seines Notizbuches. Die Füllfeder enthielt grüne Tinte – es war die gleiche Farbe wie die der abgelöschten Schriftzeichen auf der Schreibunterlage. Der Wachtmeister holte den Spiegel, der über der Waschkommode hing, legte die Schreibunterlage aufs Bett – weil es dort am hellsten war – und hielt den Spiegel senkrecht dahinter.

Diese dicken Buchstaben, die noch dazu unterstrichen waren, mußten zu einer Adresse gehören. Ein »a« ließ sich erkennen, dann eine Gruppe »nhe« und zu demselben Worte gehörend ein »m«. Studer schrieb die lesbaren Buchstaben auf und ersetzte die Zwischenräume durch Punkte. Das ergab folgendes Bild:

». a .nhe . m«, wobei die Punkte die fehlenden Buchstaben darstellten.

Und der Wachtmeister starrte weiter in den Spiegel. Über der Buchstabenfolge, die er notiert hatte und die wahrscheinlich den Namen einer Stadt bedeuteten, gab es eine andere, ganz schwach war sie, denn die grüne Tinte schien die Eigenschaft zu haben, rasch zu trocknen. Er entzifferte: »..li..ipr.si.ent«. Oben in der Ecke des Löschblattes über der Unterschrift (»J. Krock« sehr deutlich, umgeben von einem zügigen Schnörkel) zwei Worte: »Check« ... »Fälschung« und zwei Zahlenreihen: die eine begann mit einer 3 oder 5, das war nicht deutlich zu sehen, und war gefolgt von vier Nullen. Also 30 000 oder 50 000; die zweite war eine Jahreszahl: 1924, wobei es nicht sicher zu erkennen war, ob die letzte Zahl wirklich eine 4 war oder eine 7.

Schlußfolgerung? Herr Joachim Krock hatte den Nachmittag dazu benutzt, einen Brief zu schreiben. Wo war der Brief? Auf der Post?

Und plötzlich stellte Studer mit einem leichten Erschrekken fest, daß er den Spiegel schon lange nicht mehr hielt. Trotzdem stand der Spiegel aufrecht. Der Wachtmeister hatte ihn, ohne es zu merken, gegen die steifen Beine des Toten gelehnt...

Auf dem Abhang, der hinter dem Hotel »zum Hirschen« in die Höhe stieg, stand, mitten in der Wiese, eine mächtige Linde. Es war zehn Uhr vorbei und doch schien es, als fiele es dem Tage schwer, der Nacht zu weichen. Immer noch war die Luft durchsetzt von staubfreien Lichtteilchen, und eine Wolke überm Bodensee sah aus wie ein dicker Mann, der zur Feier der Sonnenwende eine dunkelrote Weste angezogen hat, die sich faltenlos über seinen Bauch spannt...

Das Anni schwieg. Aber jetzt hob es die Hand zum Nakken – es war eine einfache Bewegung, aber sie riß den Wachtmeister zurück in eine ferne Vergangenheit. Eine kleine Schulstube, Buben auf der einen, Mädchen auf der anderen Seite. Und vorn in der ersten Bank beugt sich das Ibach Anni tief über ihre Schiefertafel und schreibt, schreibt. Plötzlich legt sie den Griffel weg, hebt die Hand zum Nacken ... Das Anni war damals sieben Jahre alt gewesen und der Köbu acht. Er war nicht der Hellste gewesen in der Schule, lang nicht so gescheit wie das Anni. Und nun traf man sich wieder ...

»Weischt no, Anni?« fragte Studer. »Wies albe gsy isch z'Rickebach?« Das Anni nickte und plötzlich begann es zu weinen.

»Eh! Eh!« sagte der Wachtmeister. »Eh, Anni! Wa hescht au? Tue nid eso!« Aber das Schluchzen wollte nicht aufhören. Und Studer seufzte tief, hob die Augen und starrte auf die ersten Sterne, die sich nicht hervortrauten, noch ganz erschreckt vom allzulangen Tag. Das Schluchzen wurde leiser und der Wachtmeister fragte vorsichtig, was denn dem Anni so zu Herzen gehe. Der neue Todesfall? – Eifriges Nicken der Frau, sie konnte noch nicht sprechen, es war, als habe sich dieser Schmerzensausbruch lange schon vorbereitet.

»Er plagt mich so«, sagte die Frau leise. Sie knöpfte den Ärmel überm Handgelenk auf, streifte ihn zurück und zeigte auf zwei Flecke. Sie sahen schwarz aus in der hellen Dämmerung. – Wenn sie nicht alles tue, was der Rechsteiner wolle, so kneife er sie in den Arm.

»Es ist die Krankheit«, sagte das Anni. »Die Krankheit macht ihn so unleidig. Früher war er ein fester Mann – wer hätte gedacht, daß es ihn so packen würde? Ich hab ihn kennengelernt in St. Gallen bei einer Hochzeit. Und wir haben einander gern gehabt. Er kam damals gerade aus Deutschland – ich war Gouvernante in einem Hotel und da frug er mich, ob wir nicht zusammen etwas unternehmen wollten. Ein Hotel aufmachen – irgendwo auf dem Land. In Schwarzenstein sei eins zu verkaufen. Wir waren beide schon gesetzte Leute – aber wir haben uns gern gehabt. Im Anfang ist es ja gut gegangen. Bis er krank geworden ist. Und jetzt ist es nicht zum Aushalten!« Die Frau schwieg und Studer wagte nicht, Fragen zu stellen. Sie hob das Gesicht – ein breites, volles Gesicht mit einer geraden Stirn, die sehr weiß war.

»Im Deutschen?« fragte Studer nach einer Weile. In welcher Stadt denn der Rechsteiner gewesen sei? – Sie erinnere sich nicht mehr, es sei eine Stadt im Badischen gewesen ... Ach, meinte die Frau dann, das mit dem Rechsteiner wäre nur halb so schlimm, wenn nicht in letzter Zeit die Geschichte mit dem Otti und die Geschichte mit der Loppacher passiert wäre ...

Studer wurde aufmerksam. – Ob sie nicht erzählen wolle?

– Es sei da nicht viel zu erzählen. Mit dem Tschinggemeitschi sei das so gewesen: der Rechsteiner (»Der Rechsteiner!« sagte die Wirtin, und nicht: »Mein Mann«), der Rechsteiner habe das Meitschi beauftragt, seine eigene Frau zu beaufsichtigen. Die Ottilia habe jeden Samstagabend mit allen Rechnungen ans Krankenbett kommen müssen, und sie, die angetraute Frau, habe dabeistehen und sich abkanzeln lassen müssen. – Das sei falsch gemacht worden, und jenes lätz. Und warum man diesem Gast nicht mehr aufgeschrieben habe? – Dann habe der Rechsteiner Kassensturz gemacht und hernach seine Frau aus dem Zimmer gejagt –

später sei das Otti meistens mit einem Paket Briefe auf die Post. Und als die Loppacher gekommen sei, habe der Rechsteiner sie zu seiner Sekretärin erkoren. Nachmittagelang habe die Schreibmaschine im Krankenzimmer geklappert, und oftmals auch in der Nacht bis elf Uhr, bis Mitternacht. Kein Gedanke an Schlaf! Und doch habe der Rechsteiner sie nachher noch drei- oder viermal aus dem Bett gesprengt; um fünf Uhr habe sie gleichwohl wieder aufstehen müssen. Studer möge bedenken: vier Kühe im Stall, zwei Rosse für die Kutsche, Schweine, Kleinvieh! Manchmal sei sie heuen gegangen, nur um aus dem Unglückshaus herauszukommen – denn das müsse der Köbu wohl verstehen, seit Jahren habe sie keinen Sonntag, keinen Feiertag mehr gehabt.

Ein kühler Wind kam vom See herauf, die Linde rauschte.

– Ob sie sich wirklich nicht erinnern könne, fragte Studer, in welcher Stadt der Rechsteiner gewohnt habe, bevor er nach St. Gallen gekommen sei? Eine Stadt im Badischen? Sie solle nachdenken!

»Er hat erzählt, daß dort zwei Flüsse zusammenfließen – und dann ist dort eine große Brücke, die die Stadt mit einer andern verbindet. Auch einen Hafen hat die Stadt, einen großen Hafen ... Wenn du den Namen sagst, könnt' ich dir sagen, ob er stimmt.«

Der Sommerabend war so still und friedlich, daß man sich zum Denken zwingen mußte.

Zwei Flüsse, ein Hafen, die Rheinbrücke ... Die Stadt sollte man kennen? Offenburg? Nein. Karlsruhe? Nein. Und Mainz lag nicht mehr im Badischen ...

Studer holte sein längliches Lederetui aus der Tasche, zog

den Strohhalm aus der Brissago – aber bevor er ihn anzündete, legte er sein Notizbuch geöffnet auf die Knie.

Im Scheine des Zündhölzchens las er:

».a.nhe.m«.

Er hatte über das Rätsel nicht weiter nachgedacht, aber jetzt, plötzlich, sprang ihm im Lichte des brennenden Strohhalms die Lösung in die Augen:

»Mannheim.«

Er rief das Wort so laut, daß die Frau ihm die Hand auf den Ärmel legte. – Natürlich sei es Mannheim gewesen, aber deswegen brauche er doch nicht so laut zu schreien. Studer entschuldigte sich. Er habe nur deswegen so laut gerufen, weil er sich die Finger verbrannt habe. Ja, statt zu fluchen, habe er... Die Schwaben sagten doch auch: »Herrgott von Mannheim!« Oder?

Mannheim! ... Warum hatte Joachim Krock, Besitzer einer Auskunftei in St. Gallen, an seinem Todestage einen Brief geschrieben, der für jene Stadt im Badischen bestimmt war, in der Karl Rechsteiner, Besitzer des Hotels »zum Hirschen«, sein Vermögen erworben hatte?...

Studer stand auf, streckte sich; er bot der Frau den Arm. Und einträchtig schritten beide auf das große Haus zu, das dunkel vor ihnen lag. Nur im ersten Stock war ein Fenster erleuchtet. Als sie näher kamen, hörten sie das Klappern einer Schreibmaschine. »Fräulein« Loppacher versah ihren Dienst bei dem kranken Manne.

Plötzlich stellte Studer eine Frage (wie eine Fledermaus, lautlos und dunkel, hatte sie ihn gestreift): »Kann der Rechsteiner noch laufen?« Sie standen so nahe beim Haus, daß er nur flüsternd sprach, aus Angst vielleicht, der Kranke könne die Frage hören durch das geöffnete Fenster – und geflüstert kam die Antwort: »Er ist an beiden Beinen gelähmt ... Du kannst den Doktor fragen.« Eine Hand griff nach der seinen, drückte sie. »Hab Dank, Köbu.« Und dann war die Frau verschwunden.

Vor der Hintertüre schritt der Wachtmeister auf und ab, auf und ab. Eine halbe Stunde, eine Stunde. Die Turmuhr im Dorfe Schwarzenstein schlug Mitternacht. Da brach das Geklapper oben im Krankenzimmer ab. Studer blieb stehen. Schritte auf der Treppe, die Tür wurde geöffnet. Ein weißes Kleid war ein heller Fleck in der Dunkelheit und verfloß dann mit der gekalkten Mauer.

»Guten Abend, Fräulein Loppacher«, sagte Studer, und er sprach sein feinstes Schriftdeutsch. »Darf ich Sie heimbegleiten?«

Ein kleiner, unterdrückter Schrei, dann: »Bitte, wenn es Ihnen Freude macht, Wachtmeister.«

Die Betonung lag auf »Wachtmeister«. Nicht: Herr Studer, nein: »Wachtmeister«. Wie man sagt: »Portier« oder »Schofför ...«

Während Studer schweigend neben dem Bürofräulein einherschritt, erinnerte er sich an die zweite Buchstabenfolge, die er in sein Notizbuch eingetragen hatte: »..li..ipr .si.ent«. Und am liebsten hätte er sich wieder mit der flachen Hand gegen die Stirne geklatscht. Der zweite Teil des Wortes konnte nichts anderes heißen als »präsident«. Und der erste Teil? Ein Drittkläßler hätte es erraten. »Polizei« hieß er! Fragte sich nur, warum Herr Joachim Krock an den Polizeipräsidenten von Mannheim geschrieben hatte.

Hing dies mit der eifrigen Korrespondenz zusammen, die ein gewisses Fräulein, das als Kurgast hier oben wohnte, mit Jean Stieger geführt hatte? Unwillkürlich tastete der Wachtmeister nach seiner Brusttasche. Wohl! Die leeren Briefumschläge steckten noch immer darin – und Studer seufzte, denn er dachte, daß er diese Nacht nur wenig schlafen würde. Platten, Kopierrahmen, Fixierer, Verstärker warteten droben in seinem Zimmer auf ihn. Man mußte sich selbst beweisen, daß man noch nichts von dem vergessen hatte, was man im »wissenschaftlichen« Polizeilaboratorium des Doktor Locard in Lyon gelernt hatte...

Was hatte man dort gelernt? Man hatte gelernt, daß jedes beschriebene Blatt, sobald es lange genug auf ein unbeschriebenes gepreßt wird, auf diesem zweiten Blatt Spuren hinterläßt, die man mit dem bloßen Auge nicht sehen kann, die aber nach zehn- bis zwölffachem Kopieren auf der photographischen Platte sichtbar werden. Nur – es war eine Heidenarbeit. Gut, daß man sich noch eine Flasche reinen Alkohols gesichert hatte – zum Plattentrocknen...

Gut, das würde später an die Reihe kommen...

Fritz Graf, der Bruder des unter Mordverdacht Verhafteten, schüttelte dem Wachtmeister lange, sehr lange und eifrig die Hand. Dazu führte er Tänze auf, die einem Derwisch alle Ehre gemacht hätten. Er verrenkte seinen mageren Körper, schnitt unglaubliche Grimassen, während seine Äuglein, klein und verschlagen, immer an Studers Kopf vorbeiblickten. Atemlos war die Begrüßung...

»A..a..haha.. de..he..er Wahachtme..hi..ischte-..her!« Er zog seine Hand zurück, schlich durch den Raum, nicht etwa gerade wie ein gewöhnlicher Christenmensch, sondern seitlich, so, als sei die rechte Schulter die Brust – und beim Gehen kreuzte er mit den Beinen, als wolle er schwierige Tanzschritte üben. Er brachte einen Stuhl. »Ne..he..hemet Plaha..hatz, He..he..herr... Soho..ho isch rehe..hecht.« Er selbst stützte die Hände auf die Werkbank, stieß sich vom Boden ab und hockte dann oben; seine Füße ließ er baumeln, bald schneller, bald langsamer, die rechte Schulter war immer noch vorgeschoben... Auf der Feldschmiede glühten Kohlen. Fritz Graf schien die Anwesenheit Martha Loppachers nicht zu bemerken. Da er der Jungfer keinen Stuhl angeboten hatte, setzte sich das Bürofräulein aufs Bett, das in einem Winkel aufgeschlagen worden war, der Feldschmiede gegenüber. Das Köfferchen, das die Schreibmaschine enthielt, stand auf dem Boden.

Und Studer fragte sich, warum die Loppacher wohl dem Jean Stieger von Hand geschrieben habe statt mit der Maschine. Er wurde nicht klug aus der bemalten Jungfer. Eine Gans hatte sie Joachim Krock genannt. Schließlich, es war zu verstehen, daß sie sich in den Velohändler verliebt hatte. Zuerst hatte sie wohl nur, wie sie sagen würde, »das Kalb« mit ihm machen wollen. Und dann? Hatte der Mann eines schönen Tages zugegriffen? Zuzutrauen war es ihm schon. Er hatte mit seinen Tieren zusammengelebt, seine Tiere hatten ihn lieb... Lieb?... Was hieß das anderes, als daß der schwarze Velohändler eine gewisse Anziehungskraft auf alles Lebende ausgeübt hatte? Was war die Loppacher anders als ein Tierlein? Ein Tierlein mit Handelsschulbildung? Sie klapperte auf der Schreibmaschine nach, was man ihr vorsprach.

Solche Gedanken gingen dem Wachtmeister durch den Kopf, während er auf seinem Stuhle saß und den baumelnden Beinen des Fritz Graf zusah.

»Warum habt Ihr Eure Stelle in St. Gallen verlassen?« fragte Studer.

»Wa... ha... Weil...« Stocken. Unglaublich, wie der Mann seinen Mund verziehen konnte. Wie rote Kautschukbänder waren die Lippen. Sie dehnten sich aus, schrumpften zusammen... Manchmal war der Mund so groß, daß man Angst hatte, er werde die Ohren verschlukken, und dann wurde er winzig und rund. »Wa... ha... weil...« Der Mann kam nicht weiter – und doch hatte der Wachtmeister den Eindruck, daß dieses Stakeln unnatürlich war – vielmehr, daß der Mann unter Umständen ganz richtig und ruhig würde sprechen können. Aber unter welchen Umständen?

Endlich, nach vielen Ansätzen, konnte der Fritz erklären, er habe von der Verhaftung seines Bruders durch Herrn Krock erfahren...

»Durch Herrn Krock?« wiederholte Studer fragend, ungläubig.

Und da kam zum ersten Male vom Bett her Antwort.

– Fritz Graf, teilte Martha Loppacher in ihrem einfältigen Schriftdeutsch mit, sei Ausläufer im Büro gewesen.

»Ja... ha... ha! A... ha... hauslö... hö... ifer!«

Soso, Ausläufer! Beim Herrn Krock! Studer schneuzte sich geräuschvoll, und dann änderte er seine Taktik. Er ließ den Fritz Graf in Ruhe und wandte sich der Tippmamsell zu.

»Fräulein Loppacher«, begann er. »Ich habe Sie schon

lange Verschiedenes fragen wollen. Aber sie werden wissen, daß ich dazu kein Recht habe. Wenn ich mich mit dem Fall befasse, so nur deshalb, weil ich es erstens Frau Rechsteiner versprochen habe und weil ich zweitens von der Unschuld Ihres Freundes, des Velohändlers, fest überzeugt bin.«

»Ja... haha... De Ernscht ischt oscholdi!« krächzte Fritz Graf.

»Schwyg ietz, du Laferi!« sagte Studer gemütlich. »Damit ich dies aber beweisen kann, sollten Sie offen zu mir sein und mir ein paar Fragen beantworten. Wollen Sie?«

Martha Loppacher nickte und sagte: »Ja!«

»Gut. Was steht in den Briefen, die Ihnen der Wirt Rechsteiner diktiert?«

Das Mädchen stand auf, öffnete den Koffer ihrer tragbaren Schreibmaschine und reichte dem Wachtmeister einige Blätter. Kopien. Studer las sie schnell durch...

Anfragen an Banken, an Vermittlungsbüros, an bekannte Wucherer (ein paar Namen und Adressen kannte Studer), welche die Polizei noch nicht hatte fassen können. Bitten um Darlehen: dreitausend, fünftausend, zweitausend. Als Sicherheit wurde das Haus angeboten. Es sei, so hieß es in den Briefen, nur mit einer ersten Hypothek belastet... Warum tat der Rechsteiner dies alles hinter dem Rücken seiner Frau? Wozu brauchte ein kranker Mann soviel Geld?

»Und die anderen Briefe? Die Briefe, die Sie gestern vor einer Woche geschrieben haben?«

– Sie hätten alle den gleichen Inhalt gehabt.

»Und die Briefe, die Sie an den ermordeten Stieger geschrieben haben?«

Schweigen. Studer konnte das Gesicht des Fräuleins nicht recht sehen, denn es war im Schatten. Die einzige Lampe, eine sehr helle Birne, die über der Werkbank hing, trug einen Schirm, der das Licht ausschließlich auf den Tisch warf und die Winkel des Raumes im Dunkel ließ. Es glänzten die Schraubenschlüssel, die Meißel, die Zangen ... In der Ecke, auf dem Bett, aber war nur ein weißer, verschwimmender Fleck zu sehen: das Kleid der Jungfer.

Sie schwieg lange, die Jungfer. Und endlich verstand Studer den Grund dieses Schweigens. Er schickte den Fritz Graf kurzerhand hinaus: er solle nach den Tieren schauen und dann schlafen gehen. »Wo ... wo ... wohl, Herr Waha ... hachtme ... i ... ischter!« Die Türe ging auf – der Mond schüttete sein gefrorenes Licht über den Hof, und in seinem Lichte nahm das alte Eisen gespenstische Formen an. Die Faßreifen sahen aus wie die Räder eines Märchenwagens und die verwickelten Drähte wie riesige Käfer mit dünnen Beinen und riesigen Fühlern. Die Tür schloß sich – und da fühlte der Wachtmeister eine sanfte Berührung an seinem Knie. Er sah unter den Tisch, zwei Augen schillerten ihm entgegen, eine helle Pfote hob sich und legte sich ganz sanft auf seinen Schenkel. Dann war ein dumpfer Wirbel zu hören: das Bäärli wedelte mit dem Schweif, und der Schweif trommelte gegen eine leere Petrolkanne.

»Ja, du bischt-en gueter Hund!« Der Wachtmeister streichelte sanft den spitzen Kopf. Ein Gedanke stieg in ihm auf; er wurde ihn nicht mehr los, und weil er diesen Gedanken nicht mehr los wurde, sagte er zu dem Hund: »Ja, Bäärli! Spöter!«

Sie kam aus ihrer Ecke heraus, die Jungfer Loppacher... Sie legte, wie vor kurzer Zeit der Fritz Graf, die beiden Hände auf die Werkbank, stieß sich vom Boden ab und saß dann droben. Auch sie schlenkerte die Beine, keinen Meter von Studers Nase entfernt – und das war aufreizend. Denn eines mußte selbst der Neid dem Meitschi lassen: schöne Beine hatte es...

Der Wachtmeister wiederholte seine Frage, blickte auf und der Martha Loppacher grad in die Augen. Die Jungfer senkte den Blick nicht.

– Sie habe die Kopien der Briefe jeden zweiten Tag nach St. Gallen geschickt, erklärte sie leise. Denn, fuhr sie nach einer Pause fort, die Krankheit und der notwendige Erholungsaufenthalt seien ein Vorwand gewesen. In Wirklichkeit habe sich die Sache folgendermaßen zugetragen: Vor anderthalb Monaten etwa habe Herr Krock vom Rechsteiner einen Brief bekommen... Inhalt? Fast wortwörtlich wie der Inhalt der heutigen Briefe. Herr Krock habe darauf gemeint, daß hier etwas zu holen sei, und habe sie nach Schwarzenstein geschickt als Kundschafterin...

Herr Krock habe nach dem ersten Brief Erkundigungen über das Hotel eingezogen. Sie lauteten nicht ungünstig. Keine Schulden. Die Zinsen für die erste Hypothek waren der Bank stets prompt bezahlt worden... Aber Joachim Krock erfuhr, daß der Rechsteiner noch an andere Geldleute in St. Gallen geschrieben und überall ein kleines Darlehen verlangt hatte. Wie in den Briefen da. Zweitausend, dreitausend, an zwei Stellen sogar nur tausend. ›Da stimmt etwas nicht!‹ habe Herr Krock gemeint. Und sie beauftragt, hier ein wenig herumzuspionieren. Damit es aber im Dorfe nicht auffalle, habe Herr Krock ihr aufgetragen, die Briefe an Stieger zu adressieren ...

Immer noch lag der warme Kopf des Hundes auf Studers Knie – und die Schnauze gab kleine Stöße, so, als wolle das Bäärli den großen, schweren Mann an etwas erinnern: »Vergiß meinen Herrn nicht!« Nein, er vergaß ihn so wenig, daß er, völlig unerwartet, seine Taktik änderte und im breitesten Bärndeutsch fragte: »Sägg, Meitschi, worum hescht du mit dem Grofe-n-Ernscht es G'schleipf aagfange?«

Die Haare der Loppacher waren sicher gebleicht. Ein so zartes Blond konnte nicht natürlich sein. Und onduliert waren die Haare auch. Ganz deutlich aber war zu sehen, wie das Blut in die Wangen des Mädchens schoß – jaja, sie hatte sich heut' abend nicht gepudert – wie Angst die Augen füllte ... Und Studer hätte drauf wetten können, daß die Zunge, die über die Lippen strich, trocken war – wie der Gaumen, wie der Schlund ...

Die Antwort kam nicht. Studer ertappte sich bei einem nichtsnutzigen Gedanken: er dachte, das Hirn der Jungfer habe wohl ebenso Dauerwellen wie die Haare ... Die Dauerwellen? Die Gefühlsregungen waren in einer Form erstarrt. Das Mädchen konnte keinen Mann sehen, ohne sogleich, selbsttätig wie ein Automat, »in Liebe zu fallen«, wie der Engländer sagte. Mochte es ein Kranker sein (wie der Rechsteiner), oder ein Halbwilder (wie der Velohändler), oder ein Vorgesetzter (wie der ermordete Stieger) ... Wer aber war der Coiffeur, der das Gehirn so behandelt hatte?

Den brauchte man nicht weit zu suchen. Kein Mensch war es, ein Geist eher, der verschiedene Formen anzunehmen wußte und in vielen Zungen sprach. Im Kino zitterte er über die Leinwand, in Operetten sang er und in den Schlagern; er redete in den Romanen, sprach aus dem Grafensohn, dem Assessor, der Komtesse. Und dann geschah es wie im Märchen: sein Singen versteinte das Herz, sein Tanzen verhärtete den Geist, sein Schwätzen frisierte die Gefühle – was blieb zurück? Dauerwellen im Hirn ... Und was das Traurigste war an der ganzen Sache: man konnte der Martha keine Schuld geben, daß sie so geworden war, daß sie ihre Seele färbte und polierte wie ihre Fingernägel. Vielleicht hatte die Martha ein paarmal mit dem Stieger getanzt, vielleicht sich küssen lassen (ja küssen! nicht einmal abmüntschele!) – und dann stand sie vor einer Leiche. Und wie ein Automat, der selbsttätig die vorgeschriebenen Bewegungen ausführt, wirft sie sich über den Toten (genau wie sie es soundso oft im Kino gesehen hat): »Mein Geliebter!«

Immerhin, es schien noch Rettung möglich zu sein. Denn daß sie, die abgebrühte Martha Loppacher (denn sie hielt sich für abgebrüht, war sie's auch?), plötzlich errötete, ließ doch darauf schließen, daß ihr der merkwürdige Grofe-n-Ernscht nicht ganz gleichgültig gewesen war.

»Ich ha-n-e gern möge, Herr Studer.«

War es eine Täuschung? Es schien dem Wachtmeister, als begännen die Dauerwellen langsam, langsam die angepreßte Form zu verlieren – nicht die sichtbaren, die blieben –, die Frisur lag untadelig dem Kopf an, und kein Härchen stand ab. Aber die anderen ... Verzogen die Lippen sich nicht, die bemalten? Senkten sich nicht die Mundwinkel?

Ganz sanft fragte Studer, ob Martha das nicht begreifen könne, daß es für die Wirtsfrau schwer sei, sehr schwer, wenn eine Fremde sich zwischen sie und ihren Mann stelle? Geheimnisse mit ihm habe? Ob sie, die Martha, nicht von morgen an das Sekretärinnenspielen aufgeben wolle?

Eifriges Nicken.

Der Hund trommelte wieder ganz leise mit seinem Schweif gegen die leere Kanne – das Geräusch weckte Studer aus seinen Gedanken. Und da fiel ihm zweierlei auf.

Das erste war etwas scheinbar Nebensächliches: Das Mädchen starrte mit trockenen Augen geradeaus. Aber deutlich, fast zum Greifen deutlich, war die Angst, die das Gesicht verzerrte und in den Augen hockte ...

Das zweite war noch nebensächlicher: Martha Loppacher hatte sich nach hinten gebeugt und aus einer der Lederschlaufen eine Feile genommen. Dann öffnete sie einen Schraubstock, steckte einen Nagel zwischen die Backen, zog den Hebel an. Und dann begann sie zu feilen. Gedankenlos.

Sie hielt die Feile in der Rechten, preßte sie mit der Linken fest und feilte in langen Strichen – wie ein gelernter Mechaniker.

Und Studer dachte, daß auch die Speiche des Velorades, die so tief in Jean Stiegers Körper gesteckt hatte, vorne spitz zugefeilt worden war. Zum ersten Mal fiel es ihm auf, daß nicht viel Kraft nötig war, um mit einer solchen Waffe zu töten.

Weiter kratzte die Feile.

»Lassen Sie das!« herrschte Studer das Mädchen an. Das eintönige Kreischen war nicht auszuhalten. Es hatte auch die Stimmung zerstört. Studer stand auf, sagte, ohne aufzublicken – und unwillkürlich bediente er sich wieder des Schriftdeutschen – ziemlich barsch: »Gehen Sie jetzt schlafen! Gute Nacht!«

Er trat in den Hof hinaus, und der Hund folgte ihm, als sei dies selbstverständlich. Der Wachtmeister hatte ihn weder gerufen noch mit einem Fingerschnalzen aufgefordert, mitzukommen ...

Der Spitz führte. Eigentlich wäre es nicht nötig gewesen, denn die Türe war nur angelehnt, und ein schwaches Licht schimmerte durch ihre Ritzen. Als Studer sie aufstieß, erlosch das Licht. Und aus der Ecke, in der am Morgen der Velohändler gelegen hatte, kam eine Stimme. Sie fragte, ob es dem Wachtmeister gleich sei, im Dunkeln zu hocken. Denn, fügte die Stimme hinzu, wenn es dunkel sei, gehe das Reden leichter vonstatten. Nur in der Helligkeit, und wenn ihm einer auf die Lippen schaue – da beginne er zu stottern.

Die Behauptung schien zu stimmen. Denn der Mann dort in der finsteren Ecke sprach zusammenhängend, mit einer noch nicht gehörten, weichen Stimme. Kein Gekrächz, kein atemloses Wiederholen der Worte ... Studer tastete sich vorwärts – bis zur Mitte des Raumes hatte ihm der Mond geleuchtet, nun war es pechschwarz – endlich stieß er mit dem Fuße an etwas Weiches. Es piepste, laut und durchdringlich. »Bisch still, Ideli!« sagte der Mann im Bett. Das Säuli schnaufte, raschelte im Stroh. Und dann war es still.

Er müsse vorliebnehmen, sagte Fritz Graf. Es sei kein Stuhl im Zimmer. Ob es dem Wachtmeister nichts ausmache, auf dem Boden zu hocken? Nein? Und er danke auch recht schön, daß der Wachtmeister noch gekommen sei. Drüben – ja, er wisse wohl, daß er sich wie ein Kind benehme, aber das sei nicht seine Schuld.

»Wir beide, Wachtmeister«, sagte die Stimme in der Dunkelheit, »der Ernst und ich, sind so kurios geworden, weil der Vater uns immer geschlagen hat. Alle hat er geschlagen, wenn er betrunken war. Die Mutter, den Hund, die Pferde, die Kühe. Und uns. Gleichwohl sind wir wakkere Arbeiter geworden – aber wir haben Angst vor den Menschen. Ich hab' in Fabriken gearbeitet, in Arbon zuerst, dann in St. Gallen. Aber nie hab' ich's lang ausgehalten. Immer haben mich die Kollegen geföppelt – es war kein Leben, Wachtmeister! – Da hab' ich zugegriffen, wie mir der Herr Krock die Stelle angeboten hat ...«

»Wie ist das zustande gekommen?« wollte Studer wissen. Er saß auf einer zusammengelegten Decke, die ihm wortlos zugeschoben worden war, neben ihm lag das Bäärli und hatte den Kopf wieder auf des Wachtmeisters Knie gelegt.

»Das war vor drei Monaten«, sagte Fritz Graf. »Da ist an einem Abend, so um acht Uhr, ein Herr zu mir ins Zimmer gekommen. Jung. Mit einer langen Nase ... Wenn ich offen sein soll, Wachtmeister, so muß ich gestehen, daß mir die Augen des Herrn und sein Mund nicht gefallen haben. Aber er hat gleich angefangen: Er komme von meinem Bruder, der in Schwarzenstein Velohändler sei. Ob ich nicht Ausläufer und Bürodiener werden wolle? Freie Kost und Logis. Hundert Franken im Monat ... Ich hab' zugegriffen.«

Studer war nicht ganz bei der Sache. Er sah noch immer

den Schraubstock –, und zwei Hände, deren Nägel bemalt waren, hielten eine Feile und feilten, feilten ...

»Ich war mit der Stellung zufrieden. Oft bin ich fortgeschickt worden: In dieses Dorf, in jenes. Ich sollte mich mit den Wirten unterhalten und aufpassen, was sonst geschwätzt wurde. Natürlich, erzählen hab' ich's nicht können. Aber ich bin immer der Beste gewesen im deutschen Aufsatz in der Schule, das Schreiben macht mir nicht Angst – alles hab' ich dann schriftlich niedergelegt und den Herren gebracht. Die waren zufrieden. Im zweiten Monat hab' ich schon hundertzwanzig Franken bekommen. Dann hab' ich dem Ernst, meinem Bruder, geschrieben und ihm gedankt, daß er mir die Stelle verschafft hat. Aber er hat mir geantwortet, er wisse nichts von der Sache. Das war mir gleich.«

»Was war das für ein Büro?«

»Ich bin selbst nicht recht drausgekommen, was der Herr Krock eigentlich getrieben hat. Einmal ist eine fremde Dame gekommen (wenn ich nicht unterwegs war, bin ich in meinem kleinen Zimmer gehockt, das lag neben dem Hauptbüro, und wenn die Glocke an der Wand angeschlagen hat, hab' ich gleich hinüberkommen müssen), also eine fremde Dame ist gekommen, ich hab' ihr die Tür aufgemacht und bin dann wieder in mein Zimmer zurück. Die Dame ist mit Herrn Krock allein geblieben. Plötzlich schellt die Glocke. Ich reiß' die Tür auf, steh' im Büro. Da seh' ich die Dame, sie kehrt mir den Rücken zu, und in der Hand hält sie eine Pistole. Der Herr Krock sitzt ruhig hinter dem Schreibtisch. Ich pack' den Arm der Dame, und da läßt sie den Revolver fallen. Ich heb' ihn auf und leg' ihn auf den Schreibtisch. Der Herr Krock nimmt ihn, wirft ihn in eine

Schublade und sagt: ›Jetzt ist es dreitausend ...‹ Da zieht die Dame ein Heft aus der Tasche, reißt ein Blatt heraus, schreibt. ›Fritz‹, sagt der Herr Krock, ›spring auf die Post. Aufs Postscheckbüro. Dort bekommst du Geld. Sag, Frau ... Frau ...‹ – Ich hab' den Namen vergessen, Wachtmeister – ›sag, daß dich die Frau ... schickt‹. Dreitausend Franken, Wachtmeister. Dreitausend Franken!«

Erpressung? Wucher? Studer dachte nach. War es wirklich so unmöglich, daß ein Erpresser (oder ein Wucherer) in St. Gallen sein Wesen trieb, ohne daß die Polizei etwas davon erfuhr? Oder vielleicht wußte die St. Galler Polizei Bescheid, hatte aber keine Beweise? Und Herr Joachim Krock fuhr fort, den geachteten Bürger zu spielen ...

»Was hat er sonst getrieben in seinem Büro?« fragte Studer.

»Viele Briefe hat er bekommen. Von weither. Aus Frankreich, aus England, aus Deutschland. Ich glaub', der Herr Krock war selbst ein Schwab. Auch Häuser hat er gekauft und wieder verkauft. Ein paarmal hab' ich ins St. Galler Oberland fahren müssen – mit dem Velo, Wachtmeister, mit dem Velo! – und Wirten Geld bringen. Auch im Appenzellischen hab' ich Wirte besucht und ihnen Geld gebracht.«

»Beim Rechsteiner warst du nie?« fragte Studer.

»Nein. Nie.« Schweigen. Das Mondlicht war gewandert. Nun lag es nur noch auf der Schwelle. Und dann war ein Trippeln zu hören, das näher kam – ein Trippeln von vielen winzigen Hufen. Weit ging die Türe auf. Die zwei Ziegen kamen herein, und: »Mutschli! Mutschli!« rief der Liegende. Das Schaf folgte zögernd: »Salü Müüsli!« sagte der

Fritz. Sie trippelten im Zimmer herum, die Tiere, die der Grofe-n-Ernscht vom Tode errettet hatte, scharten sich um das Bett und nahmen auch Studer auf in ihren Kreis. Es war wie im Märli ... Zwei Brüder – häßlich alle beide – der zweite womöglich noch unglücklicher als der erste, er konnte nur stottern, wenn man ihm auf die Lippen sah. – Aber was kümmerte das die Tiere, ob einer schön ist oder wüescht? – die Tiere kennen die Menschen besser als die Zweibeiner ihre Brüder. Und Studer fühlte etwas wie Stolz, weil die Ziegen, die Schafe, der Hund ihn aufgenommen hatten in ihren Kreis ...

Fritz Graf wollte wissen, ob die Tiere den Wachtmeister nicht störten. Und Studer schüttelte unwillig den Kopf – stören! – besann sich dann aber, daß der andere sein Kopfschütteln gar nicht sehen konnte. So sagte er mit einer Stimme, die er an sich selbst gar nicht kannte, obwohl sie sein geläufigstes Wort sprach: »Chabis! Störe!« Im Gegenteil, es sei eine merkwürdige Nacht heute, fügte er hinzu. Alles erinnere ihn wieder an die Kindheit. Als Fisel sei er auch immer gut Freund gewesen mit den Tieren – und überhaupt! ... Ziemlich brummig sagte er die letzten Worte und war erstaunt, den Fritz lachen zu hören ...

Eins habe er noch fragen wollen, sagte Studer und lehnte sich bequem zurück. – Das Schaf, das »Müüsli«, wie die beiden g'spässigen Brüder das Tier nannten, hatte sich gerade hinter ihm niedergelassen, so daß er eine weiche und warme Lehne hatte. – Wann habe denn dieser Krock sein Büro verlassen?

Ganz genau könne er es nicht angeben, meinte Fritz Graf. Es sei ihm telephoniert worden gestern nachmittag, so um die fünf herum. Da habe er sein Büro verlassen und ihm, dem Graf, aufgetragen, am Telephon zu antworten und die Anrufe aufzuschreiben. – Erstaunt erkundigte sich der Wachtmeister, ob denn Fritz telephonieren könne? »Gwüß, Wachtmeischter!« Er sei ja dann allein, und niemand schaue ihm auf die Lippen. – Exakt! ... Und im Hause habe er ja als Bürodiener auch gewohnt.

»In meinem Zimmer – im Zimmer neben dem Büro, standen ein Bett und ein kleiner Tisch. Die Kleider hab' ich in einem Schaft draußen auf dem Gang versorgt. Da hab' ich das Läuten vom Telephon ganz gut hören können. Es hat um sieben geläutet – eine Frauenstimme hat nach dem Herrn Krock gefragt. Ich hab' kaum angefangen, zu antworten, hat die Frau abgehängt. Um acht hat Herr Krock angeläutet: ›Nichts Neues, Fritz?‹ – ›Nein, Herr.‹ Die Nacht durch ist es still gewesen. Heute morgen, um acht Uhr, hat Herr Krock wieder angeläutet: ›Hör, Fritz, dein Bruder ist verhaftet, weil er den Herrn Stieger umgebracht hat. Schließ das Büro ab und komm nach Schwarzenstein.‹ Dann hat er ...« Studer fuhr so heftig auf, daß das Schaf in seinem Rücken leise und schmerzlich bähte.

»Um wieviel Uhr?« fragte er.

»Heute früh um acht Uhr.«

»Bisch sicher?«

»Sicher, sicher wohr!«

Um zehn Uhr war die Behörde erschienen! Und erst um drei Uhr nachmittags hatte die Behörde den Velohändler verhaftet. Mitgenommen aber hatte sie ihn um vier Uhr! Und um acht Uhr morgens hatte Joachim Krock schon gewußt, wen man als Schuldigen verhaften würde!

Überlegte man sich die Sache genau, so war das Voraussagen der Verhaftung im Grunde keine große Hexerei. Hatte Studer nicht auch diese Schlußfolgerung gezogen? Immerhin …

»Ich hab' mich dann gleich auf den Weg gemacht – das heißt, nicht gleich. Ich mußte das Büro noch in Ordnung bringen, mußte wüsche und mein Bett machen … Dann hab' ich mir noch etwas zu Mittag gekocht und bin dann losgefahren. Unterwegs hab' ich zweimal flicken müssen – so ist es sechs Uhr geworden, bis ich in Schwarzenstein angelangt bin.«

»Wer wird jetzt wohl das Büro vom Herrn Krock weiterführen?« fragte Studer, und er hörte es, wie der andere die Achseln zuckte.

»Ich weiß nicht«, sagte Graf. »Nur wir vier waren im Büro, Stieger und Krock, die Loppacher und ich …«

»Gut' Nacht, Fritz. Schlaf gut!« Studer stand auf, vorsichtig, sehr vorsichtig, um nicht aus Versehen ein Tier zu treten.

»Guet' Nacht, Wachtmeister. Ond i danke au!«

Der Mond war untergegangen. Der Himmel sah aus wie eine schlecht geputzte Wandtafel und die Sterne wie Kreidepunkte. Im Osten lagerte eine Wolke und erinnerte an einen Feglumpen, mit dem man verschütteten Rotwein aufgenommen hat. Schwer drückte die föhnige Luft auf die Erde. Die Gräser waren trocken. Keuchend stieg der Wachtmeister den Abhang hinauf bis zur Bank unter der Linde, setzte sich und fuhr sich mit dem Nastuch über den Kopf.

Kein Vogel sang. Die Sterne waren verschwunden. Statt

ihrer klebten weiße Fetzen am Himmel, beschienen von der aufgehenden Sonne. Der See schillerte wie heißer Teer.

Straßauf, straßab ließ der Wachtmeister seine Blicke wandern. Er vermißte etwas, besann sich, kam nicht darauf. Was fehlte? Er stand wieder auf und schleuderte angeekelt die soeben angezündete Brissago weit von sich. Sie schmeckte nach Stroh und Leim.

Als er die Straße erreicht hatte, folgte er ihr ein kurzes Stücklein, kehrte wieder um, kam am Hause des Velohändlers vorbei. Er suchte, suchte ...

Das rote Rennauto Joachim Krocks war verschwunden! ... Vielleicht hatte man es in die Garage gebracht? ... Die Garage war leer ... In die Scheuer? Nein! – Er stieg die Stufen hinan zur Eingangspforte des Hotels. Sie war verriegelt. So strich er ums Haus, fand die offene Hintertür. Drinnen blieb er stehen und lauschte. Kein Laut. Er zog seine Stiefel aus und begann langsam hinaufzusteigen. Sorgfältig vermied er jeden Lärm.

Auf dem Absatz zwischen dem Parterre und dem ersten Stock blieb Studer stehen und lauschte wieder. Es war ihm, als habe er das Knarren einer Türe gehört.

Und dann zerriß ein Schrei die Stille. Der Wachtmeister ließ seine Schuhe fallen, in zwei Sprüngen hatte er den ersten Stock erreicht ...

Die Tür zum Krankenzimmer stand weit offen und durch die offene Balkontür floß das Morgenlicht. Auf der Schwelle lag das Anni. Vom rechten Ellbogen bis zum Handgelenk war die Haut aufgerissen. Die Wunde blutete. Studer beugte sich über die reglose Frau. »Anni!« rief er.

Die Frau gab keine Antwort. Ihre Augen waren geschlossen … Eine Ohnmacht?

»Was ist passiert?« fragte der Wachtmeister.

Der kranke Rechsteiner hob die Hand – die Hand, die aussah wie ein Meertier in seinem Schalenpanzer – und deutete auf die offene Balkontüre.

»Dort!« flüsterte er. »Dort hinaus!«

Zwei Schritte – und Studer beugte sich über die Brüstung. Der Platz vor dem Hotel war leer und auch auf der Straße niemand zu sehen. Auf dem Abhang, der gäh gegen das Bachbett abfiel, war das Heu geschöchlet. Die Haufen sahen aus wie riesige Schildkröten …

Weit und breit kein Mensch … Neben dem Balkon eine vollständig neue Blechröhre; sie verband die Dachtraufe mit dem Boden und neben ihr lief ein dicker Draht. Der Wachtmeister suchte vergebens nach Spuren an der Wand. Nirgends war der Verputz abgebröckelt.

»Wer?« fragte Studer, als er ins Zimmer trat, und vermied es, dem Rechsteiner in die Augen zu blicken. Er starrte auf den Boden des Zimmers, den ein dünner, abgenutzter Teppich bedeckte … Auch auf dem Teppich waren keine Spuren zu sehen – nicht einmal Blutstropfen …

Da riß der Wachtmeister ein Handtuch vom Ständer, kniete neben der ohnmächtigen Frau nieder und untersuchte zuerst die Wunde. Sie war nicht tief. Kein Schnitt – eher sah es aus, als sei das Anni an einem spitzen Nagel hängengeblieben und … Aber das war Unsinn. Mit einem Kleid konnte man an einem Nagel hängenbleiben – dann gab es einen Riß im Stoff. Aber eine Menschenhaut war doch kein Stück Stoff! … Nun, Gott sei Dank, keine Ader war gerissen, auch keine größere Vene. Die Wunde zog sich über die äußere Seite des Armes – und nicht dort, wo die Pulsader lief. Studer umwickelte den Arm mit dem Handtuch, zerriß dann sein eigenes Nastuch in kleine Streifen und befestigte so den Notverband. Dann hob er die Frau auf und trug sie hinüber auf ihr Bett. Er wunderte sich, daß er nach der ungewohnten Anstrengung nicht *mehr* schnaufen mußte...

Er setzte sich auf den Bettrand und hielt das Handgelenk der Frau zwischen seinen Fingern. Die Pulsschläge waren regelmäßig, sehr langsam – Studer zählte sie, während er auf seine Uhr blickte. Er zählte leise, gleichsam mit geschlossenen Lippen – aber die Haare seines buschigen Schnurrbartes zitterten. Sehr gründlich prüfte er den Puls – drei Minuten lang hielt er das Handgelenk – und auch, als er endlich wieder seine Uhr in der Westentasche versorgte, ließ er nicht los. Fünfundvierzig bis fünfzig Schläge in der Minute – das war wenig, sehr wenig. Dunkel erinnerte er sich an einen Fall in einem Dorf, nahe bei Bern. Da hatte ein Mann versucht, Selbstmord zu begehen und zwanzig Pillen eines starken Schlafmittels geschluckt. Der Puls des Mannes schlug damals genau so langsam und schwach wie jetzt Annis Puls...

Studer blickte sich im Zimmer um. Die Läden des einzigen Fensters waren geschlossen – aber der anbrechende Tag draußen gab genug Licht. Wie bleich war die Frau! Manchmal ging ein Zittern über die geschlossenen Lider, doch starr und reglos, wie der einer Toten, lag der Körper da. Der Atem ging kurz, oberflächlich. Eine Kampfereinspritzung! dachte Studer. Das wäre jetzt das richtige! Aber es war erst fünf Uhr morgens, konnte man da schon den Doktor Salvisberg anläuten?

Der Wachtmeister zog gedankenlos die Schublade des Nachttisches auf – und er pfiff leise durch die Zähne. Eine ganze Schachtel mit Ampullen! Kampferöl! Und die Pravazspritze lag daneben ... Sogar ein kleines Fläschchen mit Äther stand da und Watte war auch vorhanden.

Ganz fachmännisch ging Studer vor, reinigte mit einem Wattebauschen eine Stelle am linken Oberarm, glühte die Hohlnadel aus über einem Streichhölzchen, füllte die Spritze dann mit dem scharfriechenden Öl ...

Nach fünf Minuten hob sich die Brust des Anni tief und regelmäßig. Einen Augenblick blieb Studer noch neben seinem ehemaligen Schulschatz stehen und schüttelte den Kopf. Hatte die Wirtin Selbstmord begehen wollen? Warum?

Der Wachtmeister dachte an den gestrigen Abend. Da war doch das Anni ganz getröstet ins Haus zurückgekehrt? Gewiß, die Loppacher hatte noch Sekretärin gespielt beim Kranken. Aber das war doch nichts Neues! Drei Wochen oder noch mehr hatte die Frau das ertragen – warum hätte sie auf einmal Selbstmord begehen sollen? Studer sah keinen Grund. Immerhin, gestern morgen hatte die Wirtin dem Arzte erzählt, sie habe ein wenig vom Schlaftrunk ihres Mannes genommen. Schade, daß man sich nicht erkundigt hatte, was für ein Schlafmittel das gewesen war.

Ruhelos wanderte Studer im Zimmer umher, öffnete die Schafttür – Kleider, Mäntel, Wäsche ... Aber die Kleider waren abgenutzt, die Wäsche (Studer nahm einige Stücke in die Hand) an vielen Stellen geflickt. Ärmlich sah alles aus –

so ärmlich! Sicher besaß das Otti, die Saaltochter, schönere Kleider, elegantere Wäsche als ihre Meisterin! ...

Wollte es nicht endlich aufwachen, das Anni? Der Wachtmeister trat wieder zum Bett – wie bleich war das Gesicht der Frau! Er hatte sie bis zum Kinn zugedeckt, denn ihre Füße waren kalt gewesen ...

Sollte man die Läden aufstoßen? ... Es wurde eine schwierige Arbeit. Das Holz war aufgequollen, der Riegel saß fest. Es machte d'Gattig, als habe man sie seit Ewigkeiten nicht geöffnet. Endlich gingen sie widerwillig und knarrend auf, schlugen mit Gewalt gegen die Hausmauer.

Es gab sicher ein Gewitter – kein Vogellaut war zu hören. In der Ferne ballten sich Wolken, und der Wind, der auf der Straße herbeigaloppierte, wirbelte Staub auf – nun schwenkte er ab, kam aufs Haus zu, nahm einen gewaltigen Sprung und war im Zimmer. Er riß an den Vorhängen, blies dem Wachmeister Sand in die Augen, blätterte im Heilkräuterbüchli, das noch immer auf dem Tisch lag, und warf ein Blatt, das darin verwahrt worden war, auf den Boden, spielte noch eine Weile übermütig mit diesem Blatt und sprang dann wieder zum Fenster hinaus. Studer sah ihn auf der Straße weiterrennen ...

Der Wachtmeister rieb sich die Augen – der Staub brannte. Dann bückte er sich und hob das Blatt auf, das im Büchli versteckt gewesen war.

Krock & Co.
Auskunftei
Vermittlungen aller Art
Bahnhofstr. 65, Tel. 3478

St. Gallen, 20. Juni 19 . .

Frau Anni Rechsteiner-Ibach
Schwarzenstein

In Beantwortung Ihrer gef. Anfrage vom 16. 4. a. c. teilen wir Ihnen höflich mit, daß es uns gelungen ist, auf die uns zum Verkauf übergebenen Aktien ein Darlehen von Fr. 2000.– erhalten zu können. Wir erlauben uns, Sie höflich anzufragen, ob wir die ganze Summe Ihnen, werte Frau Rechsteiner, per Postmandat überweisen sollen oder ob Sie es vorziehen, bis nächsten Samstag zu warten. An diesem Tage würde Ihnen unser Herr Jean Stieger, der geschäftlich in Schwarzenstein zu tun hat, selbige Summe persönlich überbringen. Mit der Bitte, uns Ihren Entschluß telephonisch mitteilen zu wollen, verbleiben wir mit vorzüglicher Hochachtung

Stempel, Unterschrift
. . . . .

Langsam, ganz langsam faltete Studer den Brief wieder zusammen und steckte ihn in die Tasche. Er trat ans Bett, stützte die Fäuste in die Hüften und blieb in dieser Haltung lange stehen. Sein Blick ruhte auf dem bleichen Gesicht der Frau und enthielt eine dringende Frage.

Der ermordete Jean Stieger trug zweitausend Franken bei sich vorgestern abend ... Hatte er das Geld der Wirtin abgegeben? Wenn man Schlüsse ziehen durfte, so war dies nicht geschehen – hätte das Anni sonst, am Sonntagmorgen, mit dem soeben angekommenen Joachim Krock eine so eifrige Diskussion geführt?

Schade, daß das Anni nicht aufwachen wollte. So viele Fragen hatte man an die Frau zu stellen – und es war doch einigermaßen Hoffnung vorhanden, daß die Fragen diesmal wahrheitsgemäß beantwortet würden. Studer lächelte zaghaft und verlegen, denn es wurde ihm klar, daß er die Zusammenkunft auf der Bank, gestern abend, unter dem Blätterdach der Linde, nicht zum Zwecke des Tröstens und zur Auferweckung einer längst vergangenen Freundschaft benutzt hatte – sondern daß sie auch ein diplomatischer Schachzug gewesen war: er wollte eine Verbündete gewinnen, auf die er sich verlassen konnte. Er fragte sich, ob ihm dies gelungen war – aber um dies ganz sicher zu wissen, mußte er das Erwachen der Frau abwarten ...

Leise schiebt der Wachtmeister die Schublade des Nachttisches zu. Und während er einen letzten Blick auf die Schachtel mit den Kampferampullen wirft, beschäftigt ihn ein neues Rätsel: Warum hat das Anni Rechsteiner dieses Mittel, das nur in Notfällen gebraucht wird, neben ihrem Bett und so leicht auffindbar bereitgelegt? Noch dazu mit allem, was zu einem raschen Eingriff nötig ist: mit Äther, Watte, Pravazspritze?

Eine einfache Antwort läßt sich darauf geben: Nebenan liegt ein kranker Mann, es ist bekannt, daß bei Schwindsucht im letzten Stadium das Herz oft aussetzt. Aber... Alle anderen Medikamente stehen drüben auf dem Nachttischli. Alle – mit Ausnahme dieses Mittels ... Sieht es nicht aus, als habe das Anni den Kampfer für sich parat gestellt? Leidet die Frau an einer Herzkrankheit?

Oder...

Oder hat die Wirtin erwartet, was heute eingetreten ist?

Langweilig, langweilig, daß die Frau immer noch schläft! Wachtmeister Studer beschließt, hinab in die Küche zu steigen und dort einen sehr starken schwarzen Kaffee zu bestellen. Aber eins ist ihm unangenehm. Er hat nicht den Mut, durch das Krankenzimmer des Rechsteiners zu gehen. Gibt es keinen andern Ausgang aus dem Zimmer? ... Merkwürdig, auch in diesem Schlafzimmer hat es eine Tapetentür. Sie ist nur mit Mühe zu entdecken, denn sie hat keine Klinke. Ein Schlüssel steckt im Schloß, Studer dreht ihn, die Tür geht auf. Wie er sie dann, im dunklen Gang draußen stehend, schließen will, bemerkt er, daß auch hier keine Klinke vorhanden ist. So fest schließt sie sich, daß die Ritzen nicht wahrzunehmen sind in dem braunen Ölanstrich, der die Wände überzieht... Aber merkwürdig, man braucht nur ganz leicht gegen die Füllung zu drücken, dann geht sie lautlos auf... Eine merkwürdige Türe...

Plötzlich überfällt den Wachtmeister die Müdigkeit der durchwachten Nacht. Mit schweren Schritten geht er die Treppe hinunter – seine Augen brennen und schwer dünkt ihn sein Kopf. Er trifft die Saaltochter, die Ottilia Buffatto, auf den Stiegen, die zur Küche führen.

»Laß einen starken Kaffee machen«, brummt Studer. »Und bring ihn dann der Frau. Die Frau ist krank. Und wenn die Behörde kommt«, des Wachtmeisters Stimme wird schleppend, »dann sag ihr, die Wirtin sei krank. Und du kannst auch sagen, daß ich abgereist bin. Ich will schlafen gehen...« Er gähnt so ausgiebig, daß es im Kiefergelenk knackt. Dann, ohne eine Antwort abzuwarten – das Meitschi hat genickt, und das genügt ihm – steigt er schwerfällig wieder in den ersten Stock hinauf. Wachtmeister Studer ist müde, er will schlafen, nichts als schlafen. Er ist ein älterer Mann, schon über fünfzig, kein junger Schnuufer mehr wie beispielsweise der Albert ...

Albert? ... Der Schwiegersohn? ... Was hat der die ganze Nacht getrieben? ... Man wird ihn fragen, denn man ist vor der Türe angelangt, der Zimmertüre, die eine schwarze »8« in weißem Felde trägt. Studer stößt die Türe auf – sie ist unverriegelt. Die Läden sind geschlossen, trotzdem ist die Luft erfüllt vom sommerlichen Fliegengesumm. Aus den Kissen des einen Bettes fährt ein Kopf in die Höhe, die blonden Haare sind verstrubelt ...

– Natürlich, meint Studer mit teigiger Stimme, die Jugend könne nur eines: pfuusen! Während sich ältere Mannen die Nacht um die Ohren schlügen! Aber jetzt solle der Albert aufstehen! »Wach auf, mein liebes Schweizerland«, singt Wachtmeister Studer und erinnert sich plötzlich, daß im Zimmer nebenan ein Toter liegt. Er schweigt, wirft den Kittel auf einen Stuhl, den einen Schuh hierhin, den andern dorthin. Dann sinkt er aufs Bett zurück, gähnt noch einmal herzerweichend und gibt verschlafen seine Anordnungen:

Albert solle sich im Hintergrunde halten, sehen, was die Behörde mache. »Um zwei Uhr kannst du mich wecken«, sagt der Wachtmeister, »dann wird das Ärgste vorüber sein. Und kümmere dich ein wenig um die Wirtin, sie ist krank. Die Herren von der Behörde sollen die Frau in Ruhe lassen, verstanden?« »Ja«, sagt Albert, der Schwiegersohn. Er zieht sich an, wäscht sich ...

– Albert solle ihm das Handtuch noch zuwerfen, sagt der

Wachtmeister mit schon geschlossenen Augen, die donners Flüge seien so lästig... Dann, als Albert dem Wunsch nachgekommen ist, wickelt Studer seinen Kopf in das Tuch – und plötzlich ist er eingeschlafen. Albert, der Schwiegersohn, schleicht leise zur Tür hinaus...

Finsternis war um ihn, als Studer erwachte. Es wurde ein wenig heller, als er seinen Kopf vom Handtuch befreit hatte; und dann setzte er sich auf und lauschte dem Klopfen des Regens, der an die Läden poppelte, als wolle er Einlaß begehren...

Ein Uhr... Wo mochte Albert sein? Studer legte sich zurück, verschränkte die Hände im Nacken und dachte nach. Sein Kopf war klar – es war, als habe der Schlaf die Nebel, welche die beiden Mordfälle umgaben, gelüftet...

Zwei Mordfälle? ... Warum zwei? Konnte die Behörde nicht beispielsweise annehmen, Herr Joachim Krock habe einen sensationellen Selbstmord begehen wollen? Die Gläser, mit Wermut gefüllt, hatten auf dem Tisch gestanden – wäre es dem Besitzer des Auskunfteibüros nicht möglich gewesen, selbst das Gift in sein Glas zu schütten? Gewiß, es war da noch die Pillenschachtel, die verschwunden war – aber konnte sie nicht ebensogut verräumt worden sein? Man wußte es zwar besser – aber konnte die Behörde nicht zu diesem Schluß gelangen?...

Etwas anderes war sicher – und Studer wunderte sich selbst, daß er von der Richtigkeit seiner Beobachtung so überzeugt war, daß er sie hätte beschwören können – die Loppacher hatte ihn angelogen! Die Loppacher und der Wirt Karl Rechsteiner hatten es vorausgesehen, daß der

Wachtmeister verlangen würde, die Briefe zu sehen, die an jenem Abend diktiert worden waren. So hatten die beiden – deren Vertraulichkeit auffällig und verdächtig war – beschlossen, ihm erdichtete Briefe zu zeigen. Blieb die Frage offen, was für einen Grund die Bürolistin Loppacher gehabt hatte, um in das Haus des Grafen Ernst zu ziehen. In die Werkstatt ... Es gab eine Erklärung, und sie lag auf der Hand: in der Werkstatt war etwas versteckt, so gut versteckt, daß es die Behörde gestern bei der Hausdurchsuchung nicht gefunden hatte. Was? Und wo war das »Etwas« versteckt? ... Der Wachtmeister sah eine Hand mit bemalten Nägeln, ihr Ballen drückte auf die Spitze einer Feile. Und das Kreischen, Stahl gegen Stahl, klang wieder deutlich in seinen Ohren ...

Die Wunde der Anni? Sah sie nicht aus, als sei sie mit einer Waffe gemacht worden, ähnlich der, die im Rücken Jean Stiegers gesteckt hatte?

Wozu dies alles, wozu? Wozu brauchte das Anni zweitausend Franken? Immerhin eine bedeutende Geldsumme, von der ihr Mann nichts wissen durfte!

Übrigens, hatte Joachim Krock den kranken Rechsteiner besucht? Studer zuckte mit den Achseln. Es war zu früh, viel zu früh noch, um Antwort auf alle Fragen erhalten zu können. Aber er hatte vorgeschafft, der Wachtmeister Studer von der Berner Fahndungspolizei. Die Vorarbeit war das Wichtige!

Es klopfte, ganz leise und schüchtern. Und leise rief Studer: »Herein!«

Albert kam zum Rapport.

Sein erstes war, die Läden aufzustoßen und die Fenster

zu schließen. Grau hockte der Tag draußen vor den Scheiben und das eintönige Plantschen des Regens wirkte beruhigend. Albert setzte sich auf einen Stuhl neben seines Schwiegervaters Bett und begann zu erzählen. Zuvor zündete er eine Zigarette an, was der Wachtmeister mißbilligend vermerkte. Um zehn Uhr, wie gestern, sei die Behörde erschienen. Aber um zwölf Uhr sei sie wieder abgefahren. Ihre Ansicht? Joachim Krock hatte Selbstmord begangen. Der Herr Verhörrichter sah keine andere Lösung, und der Chef der Kantonspolizei auch nicht. Es war die Rede gewesen, den Graf Ernst, Velohändler, aus der Haft zu entlassen...

Warum? Weil die Behörde in Studers Fußstapfen gewandelt war und sich bei Fritz Graf, dem Bruder des Velohändlers, erkundigt hatte. Es war nicht ohne Mühe vor sich gegangen, dies Zeugenverhör. Aber Fräulein Loppacher hatte als Dolmetscherin geamtet – sie hatte das mühsame Stakeln des Graf Fritz der Behörde verdeutscht, und so war diese zu dem Schluß gelangt, daß immerhin eine Möglichkeit bestand: Herr Joachim Krock hatte St. Gallen am Samstagabend verlassen – mit dem Auto war es ihm ein leichtes gewesen, gegen neun Uhr Schwarzenstein zu erreichen. Er hatte – wann und bei welcher Gelegenheit kümmerte die hohe Untersuchungsbehörde wenig – die Velospeiche selbst spitz feilen können – nicht unmöglich, daß ein Haar des Bäärli sich am rostigen Stahl festgesetzt hatte – und dann hatte Herr Joachim Krock seinen Sekretär erstochen. Vielleicht wußte er zuviel? »Fräulein« Loppacher hatte etwas in dieser Art angedeutet. Dann war Krock in sein Rennauto gestiegen, hatte vielleicht in Rorschach oder in Heiden übernachtet (das war nachzuprüfen) und hatte sich am Sonntagmorgen zu frühester Stunde eingefunden, um bei der ganzen Untersuchung zugegen zu sein. Graf Ernst, Velohändler, war verhaftet worden – welche Verhaftung Herr Krock vorausgesehen und seinem Bürodiener noch vor Ankunft der Behörde mitgeteilt hatte. Aber – das Gewissen! Bei einem Besuch, den er dem kranken Rechsteiner gemacht hatte, nahm er das Schächteli mit den Pillen mit...

»Herr Krock sitzt also am Klavier«, sagte der Wachtmeister. – »Ja«, fuhr Albert fort. »Er sitzt am Klavier, der Speisesaal ist leer, dann kommt die Saaltochter und bringt auf einem Tablett die gefüllten Gläser. Sie geht wieder ihrer Arbeit nach, und Herr Krock ist allein im Saal. Er steht auf, nimmt einen Schluck von seinem »Wormet«, schüttet dann die Pillen ins Glas, kehrt zum Klavier zurück und spielt weiter. Dann kommen wir, du, Vatter, und ich. Herr Krock stößt mit uns an – ein kaltblütiger Kerl muß er ja gewesen sein – leert sein Glas (darin ist doch das Gift aufgelöst!), ißt ruhig z'Nacht und begibt sich nachher zum Klavier zurück. Er begeht also vor unsern Augen Selbstmord. Das ist die Theorie der Behörde.«

»Hm«, meinte Studer, »die Theorie wäre so übel nicht, wenn nicht ich mein Glas mit dem des Herrn Krock vertauscht hätte...«

»Du... Vatter... Aber... warum?«

Studer hob die Achseln. – Warum? Die gefüllten Gläser hätten ihm nicht gefallen, erklärte er. Das sei ihm eine neue Mode! Wenn man, sagte er, vor dem Essen einen sogenannten Appetitanreger serviere, einen ›Apéritif‹, wie die welschen Nachbarn sagten, so sei es Sitte, die Flasche zu bringen und vor den Gästen einzuschenken. Aber einfach volle Gläser vor die Teller stellen? Das schicke sich nicht. Man merke gut, daß er, der Albert, noch nicht weit in der Welt herumgekommen sei, sonst wüßte er ein wenig besser Bescheid. Aber dies solle er sich merken: »Hüte dich vor jedem Getränk, das nicht in deiner Gegenwart eingeschenkt worden ist.« Und weise hob Wachtmeister Studer den Zeigefinger seiner Rechten und bewegte ihn langsam von vorne nach hinten und wieder zurück ...

– Dann ... ja dann ... habe eigentlich er, der Schwiegervater, einen Mord begangen?

»Worum nid gar!« tröstete der Wachtmeister. Soviel er bis jetzt gemerkt habe, sei der Krock nicht gerade eine Stütze der Gesellschaft gewesen – geschweige denn ein nützlicher Mitbürger. Ob die Behörde über den Krock nichts in Erfahrung gebracht habe?

Er habe nicht hören können, berichtete Albert, die Herren hätten nur miteinander geflüstert. Das einzige Wort, das er verstanden habe, sei gewesen: »Wucher«.

»Suscht nüd?« Und Albert solle nachdenken.

A ja, präzis! Noch ein Wort, ein Fremdwort, der Vatter möge entschuldigen, aber was Fremdworte betreffe, sei er, der Albert, nicht recht auf der Höhe. Aber vielleicht gelinge es dem Vatter, es zu erraten. Es habe angefangen mit ›Kon‹ – und dann etwas mit ›Sozi‹. Ob der Vatter meine, der Herr Krock sei bei den Kommunisten gewesen?

Erstens, sagte Studer, seien die Sozi noch lang keine Kommunisten, im Gegenteil, die beiden hätten immer Krach miteinander. Wenn er, Wachtmeister Studer, offen reden solle, so seien ihm ... Doch, das gehörte nicht zur

Sache, ›Kon‹ und ›Sozi‹ – ob das Wort vielleicht ›Konsortium‹ gelautet habe?

»Exakt, Vatter! Präzis eso! Wie? Kon-sorzium?« Was das denn sei?

»Vereinigung«, sagte Studer. »Kein Verein, sondern eine Vereinigung. Nicht von einfachen Leuten, wie du und ich, mit dreihundert oder fünfhundert Fränkli Monatsgehalt. Sondern von Leuten, die viel...« Studer rieb den Daumen am Zeigefinger... »söttigs hend...«

»Mhm«, sagte der Albert, und er bewunderte seinen Schwiegervater. Und eigentlich hatte Studer gar nichts anderes erreichen wollen. Wer wird ihm dies verargen? Sind wir alle nicht auf die Bewunderung unserer Nächsten angewiesen, brauchen wir sie nicht wie's tägliche Brot? Und käme sie auch nur von einem vierjährigen Kind, von einem Hund oder von einer Katze...

Studer erhob sich ächzend. Immerhin war das Hotel »zum Hirschen« so modern eingerichtet, daß in ihm heißes Wasser floß. Das war eine Annehmlichkeit. Wachtmeister Studer konnte sich ohne allzu große Mühe rasieren...

Es seien dann noch ein paar Kurgäste eingetroffen, erzählte Albert. Und sie hätten auch nicht die Flucht ergriffen, als von einem Morde die Rede gewesen sei.

Studer, die Lippen mit Schaum bedeckt, was das Sprechen ein wenig mühselig gestaltete, erkundigte sich, ob der Wagen des Krock aufgefunden worden sei.

Albert fragte erstaunt: »Warum? Ist er denn verschwunden?«

»Deich woll!« sagte Studer und betrachtete mit mitleidigem Blick seinen siebenundzwanzigjährigen Schwiegersohn. Nun, man durfte nicht alle Hoffnung verlieren.

Es regnete nicht mehr. Und Studer öffnete das Fenster. In der Ferne ratterte ein Auto. Nach dem Lärm, den der Karren machte, mußte der Motor stark sein ...

Und während Studer das Rasiermesser spülte, sagte er:

»Wucherkonsortium! Gar nicht dumm, das Wort. Es könnte sogar etwas dahinterstecken ...«

Ganz nahe war nun das Auto – es fuhr mit offenem Auspuff. Von Zeit zu Zeit klepfte es. Wieder ging Studer ans Fenster und beugte sich hinaus ...

Der rote Rennwagen! Eine Dame saß am Lenkrad, ein weißer Schleier bedeckte ihre Haare und wehte hinter ihr. Auf dem Band, das die Stirne umschloß, leuchtete ein rotes Kreuz. Neben der Dame saß ein Mann, den Studer nicht recht erkennen konnte, weil ein grauer Staubmantel ihn einhüllte, dessen aufgestellter Kragen das Gesicht verbarg – und eine Sportmütze war tief in die Stirn gezogen.

»Ein neuer Kurgast«, sagte Albert. Studer schwieg. Die Dame stieg aus – eine Krankenschwester offenbar –, eilte die Stufen zum Eingang hinauf. Ottilia erschien unter der Tür, die Schwester sprach auf sie ein, und die Saaltochter lief ins Haus zurück. Sie kehrte zurück in Begleitung des Stallknechtes Küng. Zusammen hoben sie den Herrn aus dem Auto, trugen ihn ins Haus, während die Schwester mit einer Decke und einer Handtasche folgte. Hinten am Auto war ein Koffer angeschnallt.

Studer beobachtete die Szene mit so großem Interesse, daß der Seifenschaum in seinen Ohrmuscheln mit leisem

Knattern trocknete. Er konnte die Augen nicht abwenden vom Auto ...

Ein Rennwagen. Rot gestrichen. Auf dem Nummernschild die St. Galler Buchstaben. Kein Zweifel – auch die Zahlen stimmten. – Es war der Wagen des verstorbenen Joachim Krock. Und auch Albert, der Schwiegersohn, hatte den Wagen wieder erkannt ... »Vatter!« flüsterte er. »Da isch ja ...«

»Schwyg ietz«, sagte Wachtmeister Studer und netzte den Waschlumpen unter dem Wasserhahnen (die eingetrocknete Seife begann zu beißen). »Was macht's Anni?«

– Es schlafe noch immer, habe die Saaltochter erzählt. Einen Augenblick sei es aufgewacht, um den Kaffee zu trinken, und dann gleich wieder eingeschlummert. Studer schritt schon zur Tür und erklärte dabei, er habe Hunger ...

Die Tür zum Zimmer Nr. 7 stand offen. Ottilia Buffatto und Johannes Küng setzten den kranken Fremden auf einen Lehnstuhl, der am Fenster stand ...

Nur gut, daß Wachtmeister Studer seines Schwiegersohnes Arm gepackt hielt! So war nur ein fester, überaus fester Druck nötig – der Junge verstand und hielt den Mund.

Der Mann, der im Lehnsessel am Fenster hockte, hatte die Kappe auf das Tischchen neben sich gelegt – gerade auf die Löschblattunterlage, die Studer gestern abend so eingehend untersucht hatte. Aus seinem hellen, graublauen Kittel wehte ein langes, zart-cremefarbenes Poschettli, und am Zeigefinger der Rechten steckte ein schwerer goldener Siegelring. Über einer hohen, etwas fliehenden Stirn wehten schwarze Haare, zart und dünn wie Seide; aus dem glatten Gesicht ragte eine schmale Nase und warf ihre Schatten auf die wulstigen Lippen. Merkwürdig war das Kinn: in Form und Farbe erinnerte es an einen Baustein aus Zement...

Warum hatte der Wachtmeister nur mit Mühe einen Ausruf seines Schwiegersohnes unterdrücken können? Weil das Gesicht des Fremden auffallend dem des verstorbenen Joachim Krock ähnelte – so zwar, daß das Gesicht des Toten der von einem Bildhauer in Lehm ausgeführte Entwurf schien, während der Kopf des Fremden in Stein gehauen war...

»Wer isch es?« fragte Studer auf der Treppe die Italienerin.

Un direttore francese... Ein Bankdirektor aus Paris... Gardiny er heißt. Giacomo – Jacques – Jakob Gardiny...

Wie kam ein Pariser Bankdirektor zu Joachim Krocks Rennwagen?...

Da Studer sich im Hotel »zum Hirschen« daheim fühlte, stieg er, ohne zu fragen, in die Küche hinunter. Dort wußte er die magere Köchin, die trübsinnig vor einem Haufen Buschbohnen saß, so für sich einzunehmen, daß sie ihm Hammen, Anken, Brot und Wein aufstellte. Und so, auf einer Ecke des weißgescheuerten Tisches sitzend (warum erinnerte ihn dieser Tisch an jenen andern – unten im Vorkeller?), aß der Wachtmeister gewöhnlich zu Mittag. Dazwischen plauderte er mit der alten Jungfer, erfuhr nebenbei, der »Wormet« (wie sie den Wermut nannte) werde oben im Speisesaal, im Geschirrschrank, aufbewahrt. Als Studer gesättigt war, setzte er sich noch für ein Viertelstündchen und half Bohnen rüschten. Die Hilfeleistung brachte die Trübsinnskruste, die über Jungfer Schättis Seele lag, zum Schmelzen. Die Köchin taute auf und teilte dem

Wachtmeister – unter dem Siegel tiefster Verschwiegenheit – mit, im Hotel »zum Hirschen« spuke es... – A bah! meinte Studer. Und ob die Jungfer das Gespenst gesehen habe? – Gesehen nicht! Nein! Aber gehört! Es schleiche durch die Gänge und ächze und stöhne ganz leise. Treppauf, treppab... Steige bis in den Estrich hinauf, und einmal – dies mochte vor acht Tagen gewesen sein, und sie habe fast bis Mitternacht in der Küche zu tun gehabt – sei es bis an die Küchentür gekommen. Ganz deutlich habe man es rumoren hören, draußen auf der Treppe – aber das Licht habe es wahrscheinlich vertrieben... – Schade, meinte der Wachtmeister, daß Gespenster sich so vor dem Licht fürchteten. Er für seinen Teil täte gern einmal ein solches sehen. Aber da Frau Schätti (Studer sagte »Frau« und stellte mit Befriedigung fest, daß das ohnedies schon vorhandene Rot auf den Backen der Köchin noch dunkler wurde) ein so feines Gehör habe, so könne sie ihm vielleicht eine Auskunft geben: Sei ihr heut' morgen nichts aufgefallen? – Heut' morgen? Sie habe alles gehört, was im Hause vor sich gegangen sei, denn sie habe die Nacht über kein Auge zugetan. Zwei Nächte schon! Und in jeder Nacht ein Toter im Haus! – Ja, meinte Studer, habe sie nicht das Anfahren eines Autos gehört? ... – Eifriges Nicken. – Wann? Wie spät sei es gewesen? – Drei Uhr...

Studer dachte nach. Um drei Uhr hatte er drüben im Schuppen des Velohändlers gehockt, umgeben von den Tieren, und Fritz Graf, der nur in der Dunkelheit sprechen konnte, hatte ihm erzählt... Darum wohl war das Geräusch nicht bis zu ihm gedrungen. »Ja?« fragte er erwartungsvoll. »Um drei Uhr hab' ich gehört, wie jemand versucht hat, den Motor in Gang zu setzten. Ich kenn' das Geräusch, denn mein Bruder hat auch einen alten Karren, und manchmal muß er ein dutzendmal auf den Anlasser drükken, bis der Motor anspringt. So war's auch heute morgen. Mein Zimmer, ganz oben unterm Dach, geht auf die Straße. Ich bin aufgestanden und hab' hinausgeschaut. Und wißt Ihr, wen ich gesehen hab'? Das Otti!« Wieder sagte Studer: »A bah!«, einfach, weil ihm nichts Besseres einfiel und er doch sein Interesse an der Erzählung bekunden mußte. »Kann das Otti denn Auto fahren?« – »Ja, denk dir, Wachtmeister, das hab' ich mich auch gefragt. Sie hat einen blauen Regenmantel getragen – und den Regenmantel hätt' ich nicht kennen sollen? Sie ist abgefahren, und ich bin wach geblieben. Um fünf Uhr hat sie sich leise in ihr Zimmer geschlichen.« – »Syt-r sicher?« Und als die Jungfer Schätti beleidigt schwieg, versicherte Studer, er zweifle keinen Augenblick an der Erzählung, aber ob die Frau auch sicher sei, daß es das Otti gewesen sei und nicht das Gespenst? – »Du bischt en Wüeschte, Wachtmeister!« und dann merkte die Köchin plötzlich, daß sie ihren Gast geduzt hatte, wurde wieder rot und entschuldigte sich. Aber Studer klopfte ihr beruhigend auf die spitze Schulter. Das habe nichts zu sagen, und: »Nimm's nid schwär, Fraueli!« Er winkte ihr mit der Hand, dann verließ er die Küche.

Die Straße war fast trocken, aber der Bach unten im Tobel rauschte laut. Am meisten wunderte sich Studer, daß er keine Miststöcke sah. Die Wände der Häuser waren mit Schindeln belegt – kleinen, unten abgerundeten Holzschindeln – und blauweiß gestrichen. Es gab breit vorstehende

Dächer, die an Kopftücher erinnerten, weil sie über die Schmalseite des Hauses hinausragten und so die Stirne der Wand gegen Sonnenstrahlen und Regen schützten. Auf einem Feuerweiher schwamm Entensalat, was der Wachtmeister mißbilligend feststellte. Dann kam die Kirche – der einzige Steinbau des Dorfes – und daneben erhob sich das Pfarrhaus. Ein bescheidener Laden – und Studer dachte an die Dörfer im Bernbiet, an ein Dorf besonders, in dem er einmal einen Fall hatte aufklären müssen (was ihm damals einige Knochenbrüche und eine Brustfellentzündung eingetragen hatte). In jenem Dorf – er sah es genau – hing ein Ladenschild am andern wie in einer Gemäldeausstellung. Und aus den Fenstern blöckten, sangen, jodelten die Lautsprecher. In diesem Appenzeller Dörfli aber war es merkwürdig still. Ein Laden und keine Beize. Im »Hirschen« gab es wohl eine Wirtsstube, und die genügte ...

Die Post ... Studer trat ein. Er verlangte eine Nummer in Bern. Es dauerte fünf Minuten, dann hatte er die Verbindung. Das Hedy, des Wachtmeisters Frau, gab Auskunft: Wohl, es sei alles gut gegangen. Die Marie (das war Studers Tochter) mache in Arbon die Wohnung z'wäg und erwarte mit Ungeduld ihren Mann. Ob der Köbu bald fertig sei, dort oben in seinem Krachen? Vom Amtshaus habe man schon zweimal angeläutet und gefragt, wo er sei. – Darauf Studer, brummig: Er habe doch Ferien, soviel er wisse. – »Ja«, meinte das Hedy, und: das stimme schon. Aber soviel sie verstanden habe, sei hier etwas ganz Großes im Gang. Es sei vielleicht besser, er läute dem »Alten« an ... Da unterbrach eine Stimme das Gespräch und bemerkte, daß drei

Minuten vorbei seien. »Lebwohl, Hedy«, sagte Studer. »Lebwohl!« klang es zurück.

Zufällig war der »Alte« – wie der kantonale Polizeidirektor von seinen Untergebenen genannt wurde – in seinem Büro, als der Wachtmeister ein paar Minuten später anläutete. Er meldete sich: »Wachtmeister Studer« und fragte, was passiert sei, seine Frau habe ihm mitgeteilt, man brauche ihn in Bern ... – Eine verkachelte Angelegenheit, wurde ihm erwidert, und es sei wirklich schade, daß der Wachtmeister verreist sei, gerade wenn man ihn gut brauchen könne. Gestern sei in Interlaken ein dunkler Geschäftsmann verhaftet worden, auf den man aufmerksam geworden sei durch einige Inserate in Zeitungen: »Darlehen ohne Bürgschaft. Postfach 39, Interlaken.« Man habe den Mann abgefaßt und in seinem Büro eine große Korrespondenz gefunden. Der Statthalter sei selbst nach Bern gekommen mit allen Akten. Unter dem beschlagnahmten Material seien einige Briefe gewesen, unterzeichnet mit »Joachim Krock«; sie kämen aus St. Gallen. Nun habe der »Bund« heute morgen den Tod dieses Joachim Krock gemeldet – der Mann, so habe es geheißen, habe Selbstmord begangen in einem Dorf Schwarzenstein – und er, der Polizeidirektor, habe durch Frau Studer erfahren, daß der Wachtmeister gerade in Schwarzenstein sei. Was habe es für eine Bewandtnis mit dem Selbstmord? – Das könne er nicht so ohne weiteres am Telephon erzählen, erklärte Studer. Selbstmord oder nicht, tot sei der Mann auf alle Fälle und sein Sekretär ebenfalls. Ob er die Erlaubnis habe, bis zur Aufklärung des Falles in Schwarzenstein zu bleiben? – Der »Alte« war gnädig und gab diese Erlaubnis ...

Studer zog seine Uhr. Das Gespräch hatte zehn Minuten gedauert, aber keine Stimme hatte es unterbrochen, um zu bemerken, daß drei Minuten vorbei seien. So war es immer! ... Mit der Frau durfte man nicht ruhig reden, aber wenn eine Behörde im Spiel war, dann ...

Der Wachtmeister trat aus der Sprechzelle. Hinter dem Schalter saß eine Frau, die ihn mit neugierigen Augen musterte, während sie ins Telephon sprach: »Jawohl, Herr Polizeidirektor, gern, Herr Polizeidirektor...« Was hatte die Jungfer mit dem »Alten« zu verhandeln? Studer erkundigte sich, wieviel er schuldig sei. – Sie habe Auftrag erhalten, die Rechnung für alle Telephongespräche, die der Wachtmeister führe ... ja, ähäm führe – der Polizeidirektion St. Gallen zu stellen ...

Soso. Da waren also die Ferien zu Ende und man war »in Mission«. Mira ... Studer schwieg einen Augenblick, während er die Posthalterin musterte. Dumm schien sie nicht zu sein. Jung war sie auch noch. Studer legte die Unterarme auf das Schalterbrett und bereitete sich auf einen kleinen Schwatz vor.

Er wollte sich nicht eingebildeter geben, als er sei, meinte er. Aber so viel habe er merken können, daß er dem Fräulein telephonisch vorgestellt worden sei. Oder? – »Frau!« berichtigte die Pöstlerin. »Frau Gloor.« Ja, der Herr Polizeiinspektor habe sie über Namen und Beruf des Wachtmeisters aufgeklärt und sie gebeten, ihm hilfreich zur Seite zu stehen. (»Hilfreich zur Seite stehen!« dachte Studer. »Dich brauch' ich grad!«) Aber höflich lächelnd fuhr er fort: – Das sei ja gut und schön und somit erlaube er sich, ein paar Fragen zu stellen. Sei letzte Nacht das Hotel »zum

Hirschen« antelephoniert worden? – Ja. Etwa um zwei Uhr. – Von wo? – Von Rorschach. – Und wer habe geantwortet im Hotel? – Die Italienerin. – Habe Frau Gloor verstehen können, was gesprochen worden sei?

Die Pöstlerin wurde rot, und das stand ihr nicht übel. Sie habe, erklärte sie, vorgestern schon vom Herrn Verhörrichter den Auftrag erhalten, die Gespräche mit dem Hotel abzuhorchen. Leider verstehe sie nicht gut genug Italienisch, und außerdem sei noch im Dialekt gesprochen worden – und der Herr Wachtmeister wisse sicher, wie schwer die italienischen Dialekte zu verstehen seien...

Studer nickte.

– Ein paar Wörter habe sie gleichwohl verstanden. »Automobile«, »rosso«, »subito« und »stazione«.

– Wer habe gesprochen? Ein Mann oder eine Frau? – Eine Frau... (Die Krankenschwester, dachte Studer.) Um zwei Uhr! – Hm. Etwa um diese Zeit mußte der Schnellzug Paris–Salzburg–Wien in Rorschach durchfahren... Aber es war unmöglich, absolut unmöglich, daß Herr Bankdirektor Jacques Gardiny wegen Joachim Krocks Tode gekommen war. Der Auskunfteibesitzer von St. Gallen war gestern abend um neun Uhr gestorben – und um zwei Uhr war der Bankdirektor in Rorschach angekommen... Warum fuhr der gelähmte Mann eigens von Paris in ein winziges Dorf des Appenzellerlandes? Er würde natürlich behaupten: zur Kur. Und doch mußte sein Erscheinen einen anderen Grund haben... Den Tod des Jean Stieger? War etwa dieser Jean Stieger, dessen Gesicht eine wahrhaft internationale Gemeinheit ausdrückte, der wahre Besitzer des St. Galler Büros, und Joachim Krock nur ein Strohmann? So tief war Studer in seine Gedanken vergraben, daß er es schier vergessen hätte, von der freundlichen Frau Gloor Abschied zu nehmen, und nur ihr Zuruf: »Adie wohl, chönt bald wieder!« ihn an diese Höflichkeitspflicht gemahnte. – »Märci denn, uff Wiederluege, Frau Gloor!«

Wo war es am stillsten zum Nachdenken? Wo wurde man am wenigsten gestört? Auf dem Friedhof... Er breitete sich aus hinter der Kirche, an deren Rückwand eine Bank lehnte. Studer setzte sich. Einige Gräber sahen aus wie große Maulwurfshaufen, andere wieder waren kleine Beete, so wie Kinder sie manchmal anlegen, wenn sie Gärtner spielen. Hier und dort verdorrten Kränze, und ihre Schleifen glichen verwaschenen Fahnen, die durch viele Schlachten geflattert sind. Die Wolken hatten sich über den Bodensee geflüchtet, ins Schwäbische hinüber, und nur ein paar dünne, zerfetzte Tücher zurückgelassen, durch die schon der Himmel schimmerte, tiefblau und sommerlich. Aber die Kirchenwand lag nach Norden – das war gut, denn gern verzichtete man heute auf die Sonne und suchte den Schatten auf. Still war es, unwahrscheinlich still. Nur manchmal war es, als hämmere im Grase ein Zwerg auf Silber und Glas – aber es war nur eine Grille oder ein Heugumper.

Jaja, die Toten hatten es besser! Sie hatten alles hinter sich: eigene Hochzeit und Taufe und wieder Hochzeit der Kinder – sie hatten nichts mehr zu tun mit Kriminalistik, einer Wissenschaft, in der man den Maulwurf spielen und dunkle Gänge unter der Erde ausgraben mußte. Sie hatten, die Toten, ein für allemal ihren Hügel aufgeworfen, und darunter schliefen sie nun und warteten... Warteten sie wirklich? Und worauf?

Doch solche Gedanken waren nach Wachtmeister Studers Ansicht: »Chabis.« Aber er nahm das Wort sogleich zurück. Nein, solche Gedanken waren richtig und gut, schade nur, daß man ihnen nicht öfter nachhängen konnte. Es wäre nützlich, dachte der einsame Mann, wenn man hin und wieder an den Tod dächte – dann bekäme man Abstand von all der Aufregung, der Hetze... Man würde lernen, nicht alles so wichtig zu nehmen, weder sich noch seine Arbeit; und Erfolge sowohl als auch Mißgriffe bekämen ein ganz anderes Gesicht – auf einem Friedhof...

Item. Da war nun der Fall Stieger-Krock. Würden die Gedanken, die dieser Fall weckte, standhalten dem Gerichte der Toten? Wir wollen es versuchen...

Fall Stieger:

Das Auffallendste an ihm war die Waffe, die zum Mord verwendet worden war. Halt, schon das war falsch ausgedrückt. An und für sich ist eine Velospeiche nicht auffälliger als eine Hutnadel, eine Stricknadel, ein Florett. Sah es nicht aus, als habe man – und lassen wir vorläufig die Persönlichkeit dieses »man« ganz beiseite – als habe man also wirklich gewünscht, Aufsehen zu erregen? Wenn eine Hutnadel gebraucht worden wäre – hätte man zuerst an eine Frau gedacht. Bei einem Florett an einen Fechter. Bei einer eisernen Speiche, der Speiche eines Velorades, dachte man – an einen Velohändler. Er wohnte nebenan, ein Zeuge (Küng Johannes) hatte ihn ums Haus schleichen sehen. Außerdem, der

Velohändler besaß einen Hund, und ein Haar vom Felle dieses Hundes klebte an der Speiche ... Die Behörde hatte also ganz korrekt gehandelt, als sie auf Grund dieser Indizien (wie das schöne Worte lautet) den »Grofe-n-Ernscht, de suuber Feger« verhaftete; besonders wenn noch hinzukam, daß besagter Velohändler in eine bemalte Jungfer verliebt war, die den Toten mit den Kinoworten: »Mein Geliebter!« bedacht hatte.

Aber: Jean Stieger sah aus wie die verkörperte Gemeinheit! Halt! Das war der rein subjektive, der persönliche Eindruck eines fünfzigjährigen Fahnderwachtmeisters aus Bern. Ein Fahnderwachtmeister ist nicht unfehlbar. Es konnte möglich sein, daß der plötzliche Überfall das Gesicht des Mannes verzerrt hatte – und der gleich darauf eingetretene Tod konnte die Züge in dieser Verzerrtheit belassen haben. Das war eine Möglichkeit – gegen diese sprachen zwei kleine Vorfälle, die von obgenanntem Berner Fahnder zufällig beobachtet worden waren, aber bis jetzt irgendwo im Hirn dieses Wachtmeisters geschlafen hatten. Nun meldeten sie sich plötzlich.

Studer vergegenwärtigte sich diese zwei Vorfälle noch einmal:

Die Hochzeitsgesellschaft sitzt an einem der Tische im Speisesaal. Niemand hat recht Hunger, weil das Mittagessen üppig gewesen ist. Um halb neun bringt die Saaltochter Kaffee. Das Hedy übernimmt das Einschenken. Da betritt ein Mann den Saal; er ist sehr groß, sicher fast zwei Meter hoch. Bei der Türe nimmt er Platz, die Saaltochter bringt ihm ein hohes Glas, das zu einem Viertel mit einem fremden Schnaps gefüllt ist, und stellt eine Siphonflasche auf den

Tisch. Der junge Mann legt seinen Arm um die Hüften der Kellnerin; diese reißt sich los, geht fort. Der Bursche bleibt sitzen, trinkt langsam seinen Whisky. Viertel vor neun zeigt die Uhr, die über der Tür des Speisesaals angebracht ist. Da steht der junge Mann auf, geht hinaus. Nach drei Minuten erhebt sich auch der Berner Fahnderwachtmeister, es ist so schwül im Saal, obwohl die Fenster offen stehen, er möchte gern ein wenig unverfälschtfrische Luft schnappen. Wenn man aus der Tür tritt, gelangt man auf einen Gang, der sich an der Hinterwand des Hauses entlang zieht. An seinem Ende führt ein Türlein ins Freie. Studer stößt es auf. Draußen ist es dunkel, nur durch die Fenster des vorerwähnten Ganges sickert ein spärliches Licht. Der Wachtmeister tut ein paar Schritte, da hört er ein Fauchen, ein Ächzen, kleine Wutschreie. ...Sind's Katzen, die sich balgen? Nein. Der Whiskytrinker hält die Saaltochter in den Armen und versucht sie zu küssen. Das Meitschi wehrt sich, wehrt sich verzweifelt. Der Berner Wachtmeister steht plötzlich neben dem Paar – und wie es immer ist, wenn man zwei raufen sieht, so regt sich auch der Zuschauer auf. Während er noch überlegt, ob er dem jungen Tubel nicht eins putzen soll und schon die Hände zu Fäusten geballt hat, läßt der Bursch das Mädchen los, steckt die Hände in die Hosentaschen – richtig! er trägt keinen Kittel, und sein Hemd hat kurze Ärmel – und geht pfeifend davon.

»Hat er Ihnen weh getan, Fräulein?« erkundigt sich Studer sehr höflich. Kopfschütteln. Aber die Augen! Wut und Haß! ... Vielleicht, vielleicht hat der Berner Wachtmeister den Schlag mit dem Feglumpen, der am nächsten

Morgen seine Sonntagshosen trifft, nur dem Zufall zu verdanken, der ihn diese Wut und diesen Haß hat sehen lassen...

Zweiter Vorfall, am gleichen Abend:

Eine halbe Stunde später; die Uhr im Speisesaal zeigt Viertel nach neun. Da betritt die Wirtin den Saal. Den Burschen bei der Tür bemerkt sie nicht; sie kommt auf den Tisch bei der Hochzeitsgesellschaft zu, erkundigt sich, ob alles gut gewesen sei, sie habe Befehl gegeben, die Pferde noch zu füttern – wenn es den Gästen recht sei, so werde um halb elf angespannt. Das gebe dann eine schöne Nachtfahrt – und sie seien spätestens um Mitternacht in Arbon. Aber – fügt sie lächelnd hinzu – den Neuvermählten müsse man eine eigene Kutsche geben. Albert wird rot, Marie wird rot. Das Hedy lacht, es lachen die Tanten, und die Vettern lachen auch. Der schwerhörigen Frau Guhl wird der Vorschlag ins Ohr geschrien. Studer aber denkt, das Anni sehe müde aus, traurig und ängstlich. Und er frägt seinen Schulschatz leise, ob es dem Rechsteiner wieder schlechter gehe. Schweigendes Kopfschütteln. Die Wirtin verabschiedet sich von allen, geht zur Tür, sieht den einsamen Gast am Tisch – und greift nach dem Herzen. Warum? Ist sie herzkrank? Studer sieht genau, daß der Bursche unverschämt grinst. Das Anni Rechsteiner tritt an seinen Tisch, stellt leise eine Frage. Der Bursche schüttelt den Kopf, triumphierend ist sein Grinsen. Dann flüstert er etwas und pocht mit dem gestreckten Zeigefinger auf den Tisch. Es sieht aus, als stelle er Bedingungen. Die Wirtin schüttelt den Kopf. Studer sieht ihr auf den Mund, und es gelingt ihm, abzulesen: »Das kann ich nicht!« Da erscheint eine dritte Person auf dem Schauplatz (wirklich, der Tisch dort hinten sieht aus, als stände er auf einer Bühne): ein Fräulein in weißem Kleid, Halsausschnitt und Rocksaum mit Pelz verbrämt – Sie steht unter der Tür, schaut auf die Gruppe – das Anni scheint den Blick zu spüren, denn es kehrt sich um. Was will das Meitschi? Studer kann von seinem Platz aus das Gesicht der Jungfer nicht sehen, aber am Verhalten der Wirtin läßt sich deutlich erkennen, daß die Weißgekleidete böse dreinblickt. Das Anni geht ohne Gruß fort. Sie muß sich an der Frau unter der Tür vorbeidrängen, denn diese gibt den Ausgang nicht frei. Und dann sagt der Bursche laut – im ganzen Saal ist es zu hören: »Salü, Martheli, du ...« Ein wüstes Schimpfwort. Frau Studer hat es gehört und der Wachtmeister auch. Beide beginnen laut zu sprechen, während sich die Jungfer im pelzverbrämten Kleid am Tisch des Burschen niederläßt und – als sei es selbstverständlich – das Glas leert, das auf dem Tisch steht. Die beiden tuscheln miteinander. Die Frau steht auf, winkt, der Bursche folgt ihr. Mechanisch sieht der Wachtmeister nach der Uhr: halb zehn ...

Wie lange braucht es, um eine Velospeiche spitz zu feilen? Fünf Minuten genügen, falls man einen Schraubstock hat. Aber einen Schraubstock hat es nicht nur drüben beim Velohändler – auch der Küng Johannes, der Stallknecht, besitzt einen. Er soll noch aus der Zeit stammen, da der Rechsteiner gesund war und schaffen konnte. Damals machte der Wirt selbst alle Reparaturen im Hause ... Das hatte das Anni am nächsten Tag der Behörde erzählt.

Das Anni, die Loppacher Martha und die Ottilia ... Es

war eine Möglichkeit vorhanden, daß eine dieser Frauen den Mord begangen hatte. Motive hatten sie alle drei...

Um mit dem Anni zu beginnen... Schulschatz hin oder her – vor den Toten hatten Gefühlsregungen keine Geltung. Die Toten waren sachlich. War nicht alles Objektive, alles Unpersönliche so recht eine Angelegenheit der Toten? Die Toten nahmen keine Partei – sie waren die Parteilosen an sich. Während alle Lebenden, solange sie wirklich lebten und nicht als Mumien schon durch die Welt stolperten, Partei zu ergreifen hatten... Auf einem Friedhof kam man auf sonderbare Gedanken. Um also mit dem Anni zu beginnen: da war der Brief, in dem sie ihre Aktien zu belehnen verlangte. Jean Stieger hätte das Geld bringen sollen. Damals – am Abend jenes fernen Hochzeitstages – war man aus dem Gebärdenspiel der beiden nicht klug geworden. Aber jetzt, nachdem man den Brief in dem Kräuterbüchli gefunden hatte, konnte man eine Deutung immerhin versuchen.

Die Frau fragt: »Kommen Sie aus St. Gallen? Bringen Sie das Geld?« So angstvoll ist die Frage gestellt, daß der Bursche, der nur eines kann: andern seine Macht zeigen – daß der Jean Stieger natürlich das Bedürfnis fühlt, die Frau zu quälen. Vielleicht sagt er, daß er das Geld nicht geben kann (hat er nicht den Kopf geschüttelt?), ohne vorher die Einwilligung des Ehegatten eingeholt zu haben... Vielleicht, fährt er dann fort (hat er nicht mit dem Finger auf den Tisch gepocht?), können wir zu einer Einigung gelangen. Geben Sie Ihrer Saaltochter morgen frei, ich möchte mir ihr spazierenfahren, mit ihr tanzen gehen – dann können Sie das Geld morgen abend, vor meiner Abreise, haben. ... »Das kann ich nicht!« antwortet das Anni (die Worte hat man von den

Lippen ablesen können). Dann unterbricht die Loppacher das Gespräch – die Folge davon ist, daß Jean Stieger ihr ein so arges Schimpfwort zuruft, daß zwei Menschen an der Hochzeitstafel laut zu reden beginnen, um das Wort zuzudecken ...

Anni Rechsteiner aber braucht das Geld. Sie braucht es nicht morgen abend. Sie braucht es heute, heute, am Samstagabend ... Wozu? ... »Der Rechsteiner hat die Saaltochter beauftragt, mich, seine angetraute Frau, zu beaufsichtigen. Die Ottilia hat jeden Samstag alle Rechnungen ans Krankenbett bringen müssen ... Dann hat der Rechsteiner Kassensturz gemacht und mich aus dem Zimmer gejagt ...« Wann hatte das Anni diese Geschichte erzählt? – Gestern abend ... Vielleicht fehlte seit langem schon Geld? Und es hatte verheimlicht werden können. Aber heute mußte die Rechnung stimmen. Die zweitausend Franken waren notwendig – was kann eine Frau nicht alles tun, wenn sie zur Verzweiflung getrieben wird? ... Also das Anni?

Zwei Dinge sprachen dagegen: das Gespräch vom gestrigen Abend – zwar vor den Toten galt es nicht, denn es hing mit dem Gefühl zusammen. Aber die Verwundung von heute morgen, die Schlafmittelvergiftung ließ alles in anderem Licht erscheinen ...

Die Loppacher? Als einziges Motiv konnte man das Wort gelten lassen, das ihr der Jean Stieger zugerufen hatte. Sonst noch etwas? Ja. Warum hatte sie gestern nacht einen stumpfen Nagel in den Schraubstock gespannt und begonnen, daran herumzufeilen? Sie hatte sich nicht einmal ganz ungeschickt angestellt ...

Aber sehr vieles schien sie freizusprechen. Es war undenkbar, daß der Mörder sich nicht irgendwo mit Blut besudelt hatte ... Nun hatte sich zwar die Loppacher über den Toten geworfen – halt! nein! das stimmte nicht ... *Neben* ihm hatte sie sich auf die Knie geworfen, und dann war sie von Albert zurückgerissen worden:

»Nicht anrühren!«

Und gestern war Studer dabeigewesen, als die Behörde das Zimmer der Jungfrau durchsucht hatte. Alles war noch dagewesen: das pelzverbrämte Kleid, die weißen Strümpfe, die hellen Schuhe ... auf keinem dieser Kleidungsstücke war auch nur eine Spur von Blut zu entdecken gewesen – Studer hatte selbst nachkontrolliert ...

Warum, warum hatte es dieses Tippfräulein so eilig gehabt, in die Werkstatt des Velohändlers überzusiedeln? Sie waren ineinander verliebt, diese beiden. War das, um sachlich-wissenschaftlich zu reden, ein stichhaltiger Grund für die Übersiedelung? Studer hatte gehört, wie der Ernst Graf, bevor er abgeführt worden war, der bemalten Jungfer zugeflüstert hatte: »Gib auf meine Tiere acht!« Und sie hatte den Wunsch erfüllt, war aus ihrem eleganten Hotelzimmer hinübergezogen in die staubige Werkstatt, hatte sich ein Bett geben lassen und wohnte nun dort – ohne Komfort, ohne fließendes Wasser, ohne Bad, ohne Schminke und Puder. ... Aber waren die Tiere wirklich der einzige Grund zur Übersiedelung gewesen? Gab es nicht einen anderen? ...

Studer lehnte sich auf der Bank zurück. Die Wolken gingen vor zu einem neuen Angriff auf den See. Grau wurde der Himmel, ein großer geduldiger Wind begann wieder zu blasen und streichelte mit seiner riesigen Hand die Spitzen der Gräser, die sich neigten vor ihm. Winzig, wie ein Spielzeug, lag auf dem See ein weißer Dampfer, aus seinem Kamin quoll der Rauch, der aussah wie verfilzte graue Metallriemen, wie Abfall von einer Drehbank...

Ein Gewinde war eingeschnitten worden in das stumpfe Ende der Speiche... Wozu die spiralige Linie? Um den Griff daran festzuschrauben! Wo war der Griff? ... vielleicht hatte Martha Loppacher ihr elegantes Zimmer im Hotel »zum Hirschen« nur deshalb verlassen, um in der Werkstatt drüben nach dem versteckten Griff zu suchen... Dann – dann war doch der »Grofe-n-Ernscht« der Schuldige? Oder – um die Frage richtiger zu stellen – dann *meinte das Bürofräulein*, der Ernst sei der Schuldige?

Der Griff! Er war leicht zu verstecken. Natürlich hatte die Behörde eine Haussuchung veranstaltet. Sie war – wie die beliebte Formel lautete – resultatlos verlaufen. So resultatlos, daß die Behörde schon davon sprach, den Velohändler aus der Haft zu entlassen, weil es immerhin möglich war, daß Joachim Krock den Mord begangen hatte...

Herr Joachim Krock! Er war gekommen, hatte Klavier gespielt, mit der Behörde gesprochen, sich mit Anni, der Wirtin, gezankt, hatte dann ein Glas »Wormet« getrunken und war gestorben... Und ein Bankier aus Paris, mit Namen Gardiny, beauftragte eine italienische Saaltochter, das Auto des Verstorbenen nach Rorschach zu bringen, erschien dann am Nachmittag vor dem Hotel »zum Hirschen« und verlangte das Zimmer, in dem Joachim Krock, Inhaber eines Auskunfteibüros in St. Gallen, gewohnt hatte...

Das nannte man in der Fachsprache: Duplizität der Fälle. Wiederholung... Martha Loppacher zieht zum Velohändler, um dort etwas zu suchen, Bankier Gardiny verlangt das Zimmer des – sagen wir es ruhig: des Wucherers Krock ... Wahrscheinlich in der Hoffnung, in diesem Zimmer etwas zu finden, was der Behörde sowohl als auch einem Fahnderwachtmeister aus Bern entgangen ist. Denn zweifellos stand eines fest: die Bande – oder wenn man ein weniger hochtrabendes Wort gebrauchen wollte: die Verbündeten – mußten die Persönlichkeit des Wachtmeister kennen.

Dies war die einzige Erklärung für das vergiftete Wermutglas ...

Deutlich sah Studer die Szene im Speisesaal; ganz genau erinnerte er sich der Gedanken, die ihm durch den Kopf gegangen waren, damals – wann damals? Gestern abend! ... Niemand gab auf ihn acht, als er die Gläser vertauschte – und auch heute, auch jetzt in diesem Augenblick, hätte er keinen zureichenden Grund für diese Handlung angeben können. Ein Mißtrauen vor den schon gefüllten Gläsern, weiter nichts. Und dieses Mißtrauen hatte einem Menschen das Leben gekostet. Nun, jeder ist sich selbst der Nächste – die Maulwurfshügel der Gräber vor seinen Augen mochten noch so einladend sei, Ruhe verheißen und Frieden – der Wachtmeister hatte keine Lust, jetzt schon in den ewigen Frieden einzugehen ... Darum hatte er die Gläser vertauscht, ahnungslos!

Aber ... Auf eines kann er schwören: weder Joachim Krock noch die Saaltochter und auch nicht der Wachtmeister haben gewußt, daß eines der Wermutgläser vergiftet war.

»Prost!« – »Gesundheit!« – »G'sundheit!«

Herr Krock trinkt, stellt das Glas ab. Kein neugieriger

Blick streift den Wachtmeister – und mag sich einer noch so sehr in der Gewalt haben, ein Zucken der Gesichtsmuskeln, ein Beben der Lider, einen Ausdruck in den Augen wird er nicht unterdrücken können. Und wenn es ihm gelingt, all diese Regungen zu beherrschen, so wird wenigstens in seiner Stimme ein Zittern festzustellen sein ...

Nichts! Nichts! Auch bei der Otti ist nichts dergleichen zu bemerken gewesen. Und beim Anni? Am gleichen Abend ist er mit seinem ehemaligen Schulschatz unter der Linde gesessen. Und das Anni ist zwar traurig gewesen, hat sich über den Rechsteiner beklagt – aber sonst? ...

Eins nach dem andern! Langsam einen Gedanken nach dem andern prüfen ... Die Toten werden wohl nichts dagegen haben, wenn man, um besser nachdenken zu können, eine Brissago anzündet: Die Atropin-Hyoscin-Kügeli – die Tollkirsche-Bilsenkraut-Medizin – ist auf dem Nachttisch des Rechsteiners gelegen. Betreten haben das Zimmer: Der Bruder des verhafteten Velohändlers, Martha Loppacher, die Wirtin, die Ottilia, der Arzt, Joachim Krock. Wenn wirklich des Rechsteiners Mittel gegen den Nachtschweiß verwendet worden ist – dann ist einer dieser sechs der Schuldige. Einem von diesen muß daran gelegen sein, den Wachtmeister aus der Welt zu schaffen. Der Rechsteiner zählt nicht mit, denn er ist gelähmt ...

Eigentlich, wenn man darüber nachdachte, war diese Lähmung sonderbar. Studer erinnerte sich dunkel, daß bei den Endzuständen der Auszehrung eine große Schwäche auftrat – aber eine Lähmung? Item, der Rechsteiner war gelähmt. Das Anni hatte es behauptet, der Doktor Salvisberg hatte es bestätigt ...

Von den sechs Personen, die den kranken Wirt besucht hatten, von den sechs Menschen, die die Pillenschachtel hätten entwenden können, waren auszuschalten vier: Der Arzt, die Ottilia, die Wirtin, Joachim Krock.

»Ja, grinset ihr nur in euren Gräbern!« murmelte Studer. Denn es war ihm, als machten sich die Toten lustig über ihn. Und er sprach weiter zu ihnen, den Sachlichen, die keine Partei ergriffen. »Ich weiß wohl, daß es nur gefühlsmäßige Erwägungen sind, die mich die vier ausschalten lassen. Gefühlsmäßig? Doch nicht ganz! Beobachtungen des Mienenspiels, sind das nicht auch sachliche Erwägungen? ... Gut, nach diesen Erwägungen schalte ich vier aus. Und auf Grund der gleichen Erwägung schalte ich noch einen fünften aus: den Bruder. Hell war sein Gesicht beschienen von der Lampe, die über der Werkbank hängt – und es war ein armes, gequältes Gesicht... Ein Mann, der nicht reden kann, nur stakeln, weil der Vater ihn so verprügelt hat, daß ihm die Angst in den Körper gepflanzt worden ist. Warum hätte der Fritz mich umbringen wollen? Er kannte mich nicht. Vielleicht hat man ihm erzählt, ich glaube an die Unschuld seines Bruders – ganz sicher hat man ihm das erzählt! – und da hätte er mir Gift in den Wermut schütten sollen? Niemand hat ihn gesehen in den Speisesaal schleichen... Also?...

Bleibt Martha Loppacher. Joachim Krock hat seine Bürolistin eine Gans genannt. Vielleicht habe ich das Mädchen unterschätzt? Vielleicht ist sie viel geriebener, als ich gedacht habe? Sie konnte, ohne daß es irgend jemandem auffiel, den Speisesaal betreten, den ›Wormet‹ vergiften und wieder verschwinden. Halt! Noch etwas belastet sie. Vier Wochen lang hat sie volle Pension genommen – das heißt, sie hat morgens, mittags und abends im Speisesaal gegessen. Sie hat gewußt, wo der Schnaps steht … Und ausgerechnet am gestrigen Abend bleibt sie aus – wo hat sie zu Nacht gegessen? Beim Fritz Graf?«

Studer schüttelte den Kopf – und doch! und doch! etwas stimmte da nicht. Wenn auch alle »Indizien« auf die Loppacher hinwiesen – die logische Schlußfolgerung knirschte wie zwei Metalle, die ineinander passen sollten.

Da sind zuerst die leeren Enveloppen in der Revolvertasche des Jean Stieger. Was für einen Zweck hat es gehabt, die Briefe zu nehmen und die Umschläge zurückzulassen? – Halt! gehörte dies nicht in dieselbe Kategorie wie die stählerne Radspeiche, an der ein Hundehaar klebt? Sie war verwendet worden, um den Verdacht auf den Velohändler zu lenken. Das stand einigermaßen fest. Wie aber, wenn der »Täter« die Umschläge nur deshalb zurückgelassen hätte, um demjenigen, der den Fall bearbeitete, einen kleinen Wink zu geben: »Siehst du, alle zwei Tage hat die Loppacher nach St. Gallen geschrieben! Kommt dir das nicht verdächtig vor? Aus den Ferien schreibt man doch nicht so oft! Selbst wenn eine Frau verliebt ist! So dicke Briefe! Geschäftsbriefe? Dann müssen es dunkle Geschäfte sein!«

Zwischen zwölf Uhr nachts und vier Uhr morgens hatte sich jemand in den Vorkeller geschlichen, um die Briefe zu entwenden – nach Aussage der Loppacher waren es nur die Kopien der vom Wirte Rechsteiner in die Schreibmaschine diktierten Briefe – aber die Jungfer hatte gerade so gut lügen können …

Gruppieren! Man mußte die Tatsachen gruppieren!

Nach Aussage der Köchin spukte es im Hotel »zum Hirschen«. Vom Keller bis zum Estrich schlich in den Nächten stöhnend ein Gespenst. Wenn man als aufgeklärter Fahnder nun nicht an Gespenster glaubte, so konnte man die Behauptung der Köchin dennoch nicht in den Wind schlagen. Ein wenig anders formuliert, würde sie lauten: ein Fremder schleicht im Hotel herum, er sucht etwas, und zum Suchen gebraucht er die Nächte ... Dieser Fremde also ist es gewesen, der die Briefe an sich genommen hat. Also müßten sie gefährliche Angaben enthalten haben. Der Fremde kann sich nicht ohne Mitwisser im Hotel aufhalten – er muß wenigstens einen Helfer haben. Einen Helfer... Warum ein Maskulinum? ... Konnte es nicht gerade so gut eine Helferin sein?

Wer kam in Betracht? Nur die Ottilia. Die Ottilia Buffatto, um die man sich gar nicht gekümmert hatte und die dennoch eine Hauptrolle zu spielen schien. War es eine alltägliche Sache, daß eine Saaltochter sich auf Autolenken verstand? War es alltäglich, daß eine Saaltochter, eine ausländische noch dazu, größeres Vertrauen genoß als die angetraute Frau? Wie kam es, daß ein Pariser Bankier – ein gelähmter überdies – mitten in der Nacht einen Dienstboten in einem unbekannten Hotel anläutete und daß besagter Dienstbote dann ein verlassenes Auto nahm, nach Rorschach fuhr und zu Fuß wieder heimlief? Wie kam es, daß dieses Tschinggemeitschi Verbindung mit der internationalen Hochfinanz hatte?

Studer kannte sich in Paris aus, der Name Gardiny war ihm geläufig. Um den Namen Gardiny spann sich ein Kranz von Sagen. – Er hatte eine holländische, eine belgische und eine französische Bank unter einen Hut gebracht, den Aufbau der durch den Krieg zerstörten Gebiete finanziert, die deutsche Inflation ins Gleiten gebracht und dann aufgehalten, und schließlich mehreren deutschen Städten Kredite verschafft. ... Deutschen Städten, besonders solchen, die nach dem Krieg von Frankreich besetzt worden waren. Ludwigshafen, Mannheim ...

Mannheim!

Wem hatte Joachim Krock am Nachmittag vor seinem Tode geschrieben? Dem Polizeipräsidenten von Mannheim ...

Wo hatte der Rechsteiner sein Vermögen verdient?

In Mannheim.

Was hatte man auf der Löschblattunterlage entziffern können (außer dem Namen der Stadt?).

»Checkfälschung.« Eine Ziffer: »30 000« oder »50 000«. Und eine Jahreszahl, deren letzte Ziffer nicht genau zu erkennen war: eine 4 oder eine 7 – konnte es nicht auch eine 1 sein?

Vor zehn Jahren hatte der Rechsteiner das Ibach Anni geheiratet. Vor zehn Jahren: 1921. Damals begann die Inflation in Deutschland. Damals galt ein Schweizerfranken zwanzig Mark. Später kletterte das deutsche Geld in die Billionen hinauf ... Nein, es war kein Klettern, es war ein Stürzen ins Bodenlose ... Und vor drei Jahren war der Rechsteiner zur Kur ins Südtirol gefahren ... Warum ins Südtirol? Gab es in der Schweiz nicht Leysin, Davos und Arosa – Stätten, in denen die Lungensanatorien so dicht beieinander standen wie auf der Basler Messe die Jahrmarktsbuden? Warum war der Rechsteiner nicht in einen Schweizer Kurort gefahren? Nein! Ausgerechnet nach Südtirol. Und allein! Für das Alleinfahren hatte er eine gute Ausrede gehabt – seine Frau mußte das Hotel während seiner Abwesenheit führen ...

»E Lugi isch es gsy!« sagte der Wachtmeister laut, und er dachte dabei an die Briefe, die ihm die Loppacher gezeigt hatte. »En elende Lugi!« Nein! Der Rechsteiner brauchte nicht tausend, zweitausend, dreitausend Franken ... Die Briefe waren gefälscht – mit Wissen und Willen des Rechsteiners gefälscht! Gefälscht – um ihn, den Berner Fahnder irrezuführen! ...

Vom Turme der Kirche schlug es sechs Uhr, als Studer den zerkauten Rest seiner Brissago über die Friedhofsmauer warf. Ein paar Schritte nur – dann stand er wieder, breit und ruhig, vor dem Schalter und verlangte zwei Telegrammformulare. Er sah die neugierig glänzenden Augen der jungen Posthalterin – und er lächelte. Er trat vor ein Stehpult, zog seine Brieftasche. Aber dem »Wybervolch«, dem neugierigen, entging sein Tun. Studers breiter Rücken war ein ausgezeichneter Paravent.

Und des Wachtmeisters Lächeln verstärkte sich noch, als er die beiden Telegramme durch den Schalter gab. Zwar die Adressen waren ohne weiteres verständlich: »Polizeipräsidium Mannheim« und »Madelin Police judiciaire Paris«. Aber die nachfolgenden Wörter und Buchstaben ließen viel ratlose Enttäuschung auf dem Gesicht des Frauenzimmers entstehen.

»Wrdasi ptamtschisky wontzürabei igbalsgar yolutzibrasch.«

»Was heißt das?« fragte die Pöstlerin.

»Polkod!« antwortete Studer, und seine mächtigen Achseln hoben sich. »Ihr wisset nicht, was Polkod ist? Polizeikode ... Unsere internationale Geheimschrift. Damit nicht jeder hinter unsere Geheimnisse kommen kann. Und schicked die Telegramme gleich ab, Priorität, verstanden? Bezahlte Rückantwort ... Die Rechnung könnt Ihr ja den St. Gallern stellen. Aadieu!«

Als Studer aus der Post trat, kam ihm ein Mann entgegen, der auf seiner ganzen Person so deutlich die Zeichen seines Berufes trug, daß es Zeitverschwendung gewesen wäre, ihn nach diesem zu fragen. Ein schwarzer Gehrock erreichte mit seinem unteren Saume gerade die Kniekehlen des Mannes, die Weste ließ nur ein kleines Dreieck von gestärkter Hemdbrust frei, der steife Kragen mit den geknickten Spitzen trug vorne ein schwarzes Mäschlein, das mittels eines Gummibandes im Nacken festgehalten wurde. Ein Schnurrbart, ähnlich dem des Wachtmeisters, fiel über den Mund, wenn der Mann schwieg, und wenn er sprach, machte sich die Unterlippe von den Falten dieses Borstenvorhanges frei und zeigte sich dann schmal, rot und beweglich.

»Eh, Gott grüeß-ech woll, Wachtmeischter!« sagte der Mann in Schwarz. Heimatliche Laute! Wie kam ein Berner Pfarrer in ein Appenzeller Dörfli?

»Grüeß-ech, Herr Pfarrer!« sagte Studer und schüttelte dem Manne die Hand. Sie war trocken und knochig und warm.

»Und, heit'r öppis g'funde?« fragte Herr de Quervain, nachdem er sich vorgestellt hatte. – »Nüd Apartigs«, meinte

Studer, dem der Mann wie gerufen kam. Ein Pfarrer! Der wußte sicher Bescheid im Dörfli.

Sie gingen auf der Straße weiter. Die kleinen Fenster, die stets die ganze Vorderfront der Häuser einnahmen, waren mit Vorhängen verhangen – aber die Vorhänge bewegten sich. Kein Zweifel: Der Berner Fahnder erregte Aufsehen. Und wenn es auch nur alte Frauen waren, die hinter den Vorhängen lauerten – alte Frauen haben gelenkige Zungen. Sicher würde schon am Abendessen die Anwesenheit des Wachtmeisters und sein Gespräch mit dem Pfarrer bei Tisch verhandelt werden. Übrigens profitierte Studer sogleich von der Einladung Herrn de Quervains, einige seiner Pfarrkinder zu besuchen. Der Wachtmeister hatte beschlossen, das Hotel »zum Hirschen« erst nach Einbruch der Dunkelheit aufzusuchen ... Und bis dahin hatte es Zeit.

Häuser, Häuser, Häuser... Sie glichen sich alle. Vier, manchmal fünf Stufen führten zur Haustür, dann kam eine Art Vorraum – das Kuchistübli, erklärte der Pfarrer. Hier nehme man die Mahlzeiten im Sommer. Eine Tür führte von diesem Vorraum in die Küche und von dieser – rechtwinklig – eine andere in die richtige Stube. Schön waren diese alten Holzstuben mit ihrer breiten Fensterfront – breit, nicht hoch, sehr niedrig übrigens waren diese Fenster, die, ohne Angeln, in die Holzwand eingelassen waren. Zwei oder drei ließen sich öffnen – besser: aufschieben. Blumentöpfe standen davor: Geranien glühten rot und fingen noch, als hätten sie nicht genug eigene Farbe, die purpurnen Strahlen der sinkenden Sonne auf ...

Alle Mühe gab sich Pfarrer de Quervain, um das Mißtrauen zu zerstreuen, das Studers Erscheinen jedesmal auslöste. Aber allzuviel Mühe brauchte er sich nicht zu geben, der Berner Wachtmeister fand den richtigen Ton, erzählte von Anni Rechsteiner, das ein Schulschatz von ihm gewesen sei – und es war merkwürdig: der Wirtin Name löste die Zungen, verscheuchte den Verdacht ... Die Bäuerin – oder wenn diese noch auf dem Feld war, die Großmutter – taute auf: Ja, das Anni Rechsteiner! Gegen die Frau sei nichts zu sagen. Wacker! Und gut! – Begann jedoch der Wachtmeister vom Hirschenwirt zu reden, so schlossen sich die Münder, Angst trat in die Augen, die Blicke wichen aus, suchten die Winkel und Ecken der Stuben auf ... Dann war es besser, man empfahl sich. Der Pfarrer gab das Zeichen zum Aufbruch. Und draußen sagte er dann:

– Auch diese Leute seien dem Rechsteiner Geld schuldig. Begreiflich. Das Bauerngewerbe habe hier oben nie viel eingebracht, es sei mehr nebenher betrieben worden. Haupterwerb aber sei die Stickerei gewesen. Und seit der Krise ständen alle Stickmaschinen still. Früher – ja früher! Da sei in allen Häusern gesungen worden – manchmal auch geflucht, natürlich, das gehöre zu jeder ehrlichen Arbeit. Der Mann sei am Pantograph gesessen, die Tochter habe gefädelt, die Frau hie und da ausgeholfen – kurz, es sei gegangen.

Sie traten in ein anderes Haus, da war der Mann daheim. Die Frau saß in der Küche und schälte Erdäpfel, die sie dann in einen Kessel fallen ließ. Der Mann saß am Tisch und studierte die Zeitung. Es lag eine so arge Trostlosigkeit im Raum, daß es Studer unwillkürlich fröstelte.

– So gehe es nicht weiter, meinte der Mann. Er war unrasiert, die Haare, schon lange nicht geschnitten, bedeckten den oberen Teil der Ohrmuscheln und den Nacken. Er schien es selber zu merken, denn er wurde rot. – Nicht einmal einen Franken habe man übrig, um sich beim Coiffeur die Haare schneiden zu lassen, murrte er. Und keine Hoffnung, daß es jemals besser komme. Ob der Herr Pfarrer glaube, daß eine Familie – Frau, Mann und drei Kinder – von vier Jucharten Land leben könnten? Und dazu noch zinsen? Dem Rechsteiner? Wenn er den Mann einmal erwischen könne! sagte der Mann und ballte die Faust. – Wie ein Wohltäter habe er sich das erstemal gegeben: »Lueg, Hans, ich bin ein kranker Mann, was soll ich mit meinem Geld? Ich weiß, daß du's brauchst. Wieviel darf ich dir geben? Dreitausend? Das langt dir nirgends hin. Sagen wir fünftausend. Schau, da ist das Geld.« Und der Wirt habe die Bündel Hunderternoten in der Hand geschwenkt. »Weißt, nur damit Ordnung ist, sollst du mir den Schein da unterzeichnen. Verstehst, daß meine Frau nicht in Not kommt, wenn ich einmal tot bin. Brauchst den Schein gar nicht zu lesen, hast doch Vertrauen zu mir? Oder?« Und er, sagte der Mann, er, Lalli, habe den Schein unterzeichnet. Letzten Samstag sei da ein junger Schnuderi gekommen – nicht einmal einen Kittel habe er angehabt – sei einfach ohne chlopfe i d'Stube g'latschet, frech wie eine Wanze. »So und so ... Der Rechsteiner habe alle seine Forderungen an das Büro Krock in St. Gallen abgetreten. Er sei der Vertreter des Herrn Joachim Krock, und da der Bauer sich verpflichtet habe, am 1. Juli zu zahlen, so sei er hiermit schon einen Monat im Rückstand ...« »Er hat mir den Schein gezeigt, der Lalli ... Sechstausend soll ich schuldig sein! Fünf Prozent für Versäumnis und Spesen und weiß ich, was alles noch ... Kurz, ich bin statt fünftausend – sechstausenddreihundert schuldig. Woher soll ich das Geld nehmen? Und ich hab' unterschrieben, weil ich Vertrauen gehabt hab'. Zu einem, der auf dem Sterbebett liegt, muß man doch Vertrauen haben, nöd wohr, Herr Pfarrer? Was soll ich jetzt machen? Er hat mir mit der Gant gedroht! – Zwar, wie ich gehört hab', soll er inzwischen gestorben sein, der Kerli. Aber hinter ihm sind noch andere, die ich nicht kenn'. Und die schöne Strickmaschine. Chönd no gi luege!«

Die Läden vor den Fenstern waren geschlossen. Der Pantograph sah aus wie der vertrocknete Arm eines Achtzigjährigen. Staub lag auf allem: der Maschine, die schon lange nicht mehr geölt worden war, den Stühlen, und auch auf dem Fensterbrett lag er in einer dicken Schicht – wie ein Stück morscher Stoff sah er aus, und die winzigen Enden von Stickseide darin waren Muster, hineingewebt von der langen, der arbeitslosen Zeit...

»Und überall ist es gleich«, sagte draußen der Pfarrer. »Der Meßmer wenigstens ist ehrlich mit Euch gewesen, Wachtmeister. Aber allen Männer hat es der Rechsteiner ähnlich gemacht: Geld vorgeschossen, und dann mußten die Vertrauensvollen einen Schein unterzeichnen, den sie nicht gelesen hatten. Aber glaubt Ihr, ich könne die Männer dazu bringen, eine Kollektivklage wegen Wuchers zu erheben? Unmöglich. Jammern können sie, sonst nichts. Und zahlen wollen sie, wenn sie können. Sie möchten nicht, wie sie sagen, der Spott der anderen Dörfer werden – lieber lassen sie Haus und Hof und Wälder und Wiesen verganten ... Es sieht ganz so aus, als hätten die Leute, die diese Spekulation gemacht haben, genau gewußt, mit was für einem Menschenschlag sie es zu tun haben. Denn es ist unmöglich, daß der Rechsteiner allein das Geld aufgebracht hat, das nur in diesem Dorfe ausgelehnt worden ist ... Denket doch: dreißig Höfe. Und auf jedem sitzt ein Mann, der zum mindesten fünftausend Franken erhalten hat. Zum mindesten, sag' ich. Bei anderen waren es zehntausend, zwanzigtausend – bei einem (er hat zwei Hektar Wald) waren es sogar vierzigtausend. Nehmt ein Mittel von fünfzehntausend ... fünfzehntausend mal dreißig macht vierhundertfünfzigtausend, rund eine halbe Million. In Grab ist es auch so und in Happenröti und im Rabentobel. Ich übertreibe nicht, wenn ich sage, daß hier in der Umgebung etwa zwei Millionen Schweizerfranken investiert sind – investiert! um das gruusige Finanzwort zu brauchen!«

Pfarrer de Quervain schwieg.

»Herr Pfarrer!« sagte Studer und blieb mitten auf der Straße stehen. Noch hingen ein paar Fetzen des grauen Tages an den Wipfeln der Bäume, an den Firsten der Hausdächer. Aber schon kam die Nacht und sammelte die verstreuten Lumpen. Und hinterher rauschte ihre Schleppe, und der Abendwind, der ihr entgegenflog, blähte die Seide, die silberbestickte. Dann ruhte die Nacht auf den Hügeln, der Wind schlief ein und der schillernde Stoff der Schleppe legte sich über das stille Land ...

»Herr Pfarrer«, wiederholte Studer, und sein Begleiter merkte, daß ihm das Reden schwerfiel. »Ich hätt' eine Bitte an Euch. Könnt Ihr morgen beizeiten ins Hotel ›zum Hirschen‹ kommen?«

»Beizeiten, Wachtmeister? Was nennt Ihr beizeiten?«

Studer schwieg. Er rechnete, ohne die Lippen zu bewegen. Um sechs Uhr hatte er die Telegramme abgeschickt –

reichlich spät, sicher waren alle Büros schon geschlossen. Aber in Paris – das wußte Studer – hatte stets wenigstens ein Mann Nachtdienst. Um sieben Uhr – spätestens – würde sein Telegramm auf der Police judiciaire – auf der »Gerichtspolizei« sein; und um halb acht in den Händen seines Freundes, des Kommissärs Madelin.

Nachforschungen – grob gerechnet: sechs Stunden. Angenommen, daß gewisse Erkundigungen erst morgen, nach der Öffnung der Büros, eingeholt werden können – dann wird die Antwort frühestens um zehn Uhr in Schwarzenstein sein. – Und im Polizeipräsidium zu Mannheim wird es ähnlich gehen ...

»Was nennt Ihr beizeiten, Wachtmeister?« wiederholte der Pfarrer seine Frage.

»Sagen wir – um halb elf. Paßt Euch das? Gut! Verlangt nicht nach mir, sondern nach dem Anni – eh ... – nach der Frau Rechsteiner. Die wird Euch sagen können, wo ich zu finden bin.«

»Und glaubt Ihr, Wachtmeister, daß Ihr das alles ...« (der Pfarrer beschrieb mit seiner kleinen Hand eine Kreis, der das ganze Dorf Schwarzenstein umfassen sollte), »... daß Ihr das alles werdet in den Senkel stellen können?«

»I gloube-n-es, Herr Pfarrer!«

Wenn sich in diesem Augenblick jemand eine spöttische Bemerkung oder einen billigen Witz über Pfaffen erlaubt hätte, so wäre er genötigt gewesen, die ganze Nacht seine Wange mit kalten Umschlägen zu behandeln. Pfarrer de Quervain war schon recht. Man sah es ihm an, daß ihm das Elend seiner Pfarrkinder zu Herzen ging. Und es zeugte von einem sonderbaren Vertrauen dieses Männchens, das

Studer nur bis zur Schulter reichte und ein wenig lächerlich aussah mit seinem schwarzen, an die Kniekehlen wehenden Gehrock, es zeugte wirklich von einem großen Vertrauen, daß sich Pfarrer de Quervain widerspruchslos in die Anordnung des Wachtmeisters fügte, ohne nach ihrem Grund zu fragen und ohne sich Gedanken zu machen über die Folgen dieser Anordnung.

Die Behörde, die sich in den Gestalten eines Verhörrichters, eines Polizeichefs, etlicher Fahnder und eines Aktuars verkörpert hat, ist nicht allzu aufdringlich gewesen. Darum ist es dem Berner Fahnder gelungen, von den zwanzig Briefumschlägen, die er in einer Tasche des toten Jean Stieger gefunden hat, drei zurückzubehalten. Mit Wissen obgenannter Behörde. Der Wachtmeister hat nicht erzählt, was er mit diesen Umschlägen zu tun gedenkt – es hat ihn auch niemand danach gefragt...

Zwei Wolldecken sind mit einer Reihe solider Reißnägel am Fensterrahmen befestigt. Kein Lichtstrahl vermag von außen ins Zimmer zu dringen. Das Nachttischlämpli ist mit einem roten Papier umwickelt, aber das Zimmer ist so dunkel, daß man mindestens drei Minuten die Augen fest schließen muß, um nachher, wenn man sie wieder öffnet, etwas sehen zu können. Auf dem Tisch steht der Photographenapparat, weit ausgezogen, und vor ihm, in einen Kopierrahmen eingespannt, ein Briefumschlag – so zwar, daß die innere Seite der Enveloppe der Linse zugekehrt ist. Nun wird das rote Lämpchen gelöscht, die Finsternis im Zimmer ist zum Greifen dick. Ein Klicken: der Verschluß des Apparates ist offen. Ein Blitz: Magnesium. Nun brennt die rote

Lampe wieder. Entwickeln, fixieren. Waschen der Platte mit reinem Alkohol. Albert, der Schwiegersohn, muß den Blasbalg bedienen, den die Jungfer Schätti, Köchin im Hotel »zum Hirschen«, dem Wachtmeister Jakob Studer ohne Widerrede zur Verfügung gestellt hat. Herrgott! Geht das lang, bis eine Platte trocken ist! Endlich! – Wieder erlischt das Rotlicht. In den Kopierrahmen wird die getrocknete Platte über eine überempfindliche neue gespannt. Diesmal flammt nur ein Streichholz auf, erlischt. Tastend in der zähen Finsternis werden die Platten ausgespannt, die untere entwickelt, verstärkt, fixiert. Schon während des Verstärkens hat man wieder das Rotlicht anzünden können. Wieder die gleich Prozedur wie vorhin: die Platte in Alkohol getaucht, abgeschüttelt, Albert betätigt den Blasbalg so energisch, daß ihm der Schweiß von der Stirn rinnt. Sie ist trocken, endlich, die Platte. Wieder wird sie über eine hochempfindliche Platte eingespannt – wieder flammt das Zündholz auf – nachdem, selbstverständlich, das Rotlicht gelöscht worden ist. Wie spät ist es? Halb eins. Seit zehn Uhr ist man schon an der Arbeit. Studers Armbanduhr mit dem leuchtenden Zifferblatt ist unter dem Kissen versteckt. Noch dreimal flammt das Zündhölzchen auf – noch dreimal wird der Blasbalg betätigt, nachdem entwickelt, verstärkt, fixiert worden ist. Und nun, bei der letzten Platte – Studer ist stolz.

»Da, Albert, lies!«

Nun kann man die Wolldecken von dem Fenster reißen, auch den roten Schirm von der Lampe nehmen, die Platte vor die Birne halten – Buchstaben, ganz schwache Buchstaben sind auf der Platte zu sehen. Diese Buchstaben bilden nur zwei Sätze – und in diesen Sätzen gibt es Worte, die man erraten muß, aber diese beiden Sätze geben die Lösung des Falles!...

Die Platte wird noch einmal in den Rahmen gespannt, aber nicht, ohne ein Kopierpapier unter sie geschoben zu haben. »Eins-zwei-drei-vier-fünf-sechs-sieben« zählt Studer langsam – es klingt wie eine Beschwörungsformel. Dann wird der Rahmen wieder bedeckt und ein wenig abseits von der Lampe geöffnet. Das Papier entwickelt, fixiert, in Alkohol getaucht und dann mit einem Faden an der Stange befestigt, die den linken Fensterladen geschlossen hält. Da der rechte offen ist, flattert das Papier wie ein Fähnlein im Winde... Es ist drei Uhr morgens, über den Hügeln im Osten liegt schon ein grauer Schein. Die beiden Männern sinken auf ihre Betten. Sie sind todmüde... Und bald schlafen sie ein.

Der Speisesaal, morgens um halb acht. Auf den weißgedeckten Tischen stehen flache Glasschalen mit gerollten Butterstückchen, Schalen aus glänzendem Weißmetall, gefüllt mit Konfitüre, Honig, Platten mit Käse. Es riecht nach Kaffee und gesottener Milch. Die Tische sind spärlich besetzt: hier ein Gast, dort einer, eine Mutter mit zwei Gofen – und die Gofen löffeln die Konfitüre ohne Brot. Studer denkt, daß die heutigen Kinder schlecht erzogen sind. Er ist frisch rasiert, sein kurzgeschnittenes Haar glänzt wie das Fell eines Apfelschimmels, und sein Schnauz ist so sorgfältig gekämmt, daß er den ganzen Mund frei läßt. Heute ist Wachsein, höchste Aufmerksamkeit nötig. Hat Studer diese Nacht – oder richtiger, diesen Morgen – nicht das

Gespenst gesehen, von dem die Jungfer Schätti, die Köchin des Hotels »zum Hirschen« gesprochen hat? ...

Dem Wachtmeister gegenüber sitzt Albert Guhl.

Merkwürdig, wie schlecht die heutige Jugend eine durchwachte Nacht vertragen kann! Albert sieht müde aus und mißmutig. Nur wenn er seinen Schwiegervater ansieht, leuchten seine Augen. Er bewundert diesen älteren Mann, er versteht nicht, warum der Vater seiner Marie sein Leben lang Wachtmeister geblieben ist. Er ist noch jung, der Polizeikorporal Albert Guhl, stationiert in Arbon, er weiß nichts von der großen Bankaffäre, die seinem Schwiegervater das Genick gebrochen hat, damals, als er wohlbestallter Kommissär an der Stadtpolizei Bern gewesen ist. Er weiß noch nicht, dieser junge Schnuufer, daß es im Leben Scheidewege gibt: die bequeme Straße führt zu Ehren und Würden, aber der Zoll, den man entrichten muß, um auf dieser Straße wandeln zu dürfen, heißt Selbstachtung und gutes Gewissen. Studer hat diesen Zoll nicht entrichten wollen – seine Kollegen im Amtshaus z'Bärn behaupten, er habe einen Steckgring ... Nun, der »Bärtu« wird auch einmal am Scheideweg stehen ... Vorläufig ist er noch voll Bewunderung über das Hexenkunststück seines Schwiegervaters, durch das er aus einem weißen Stück Papier Buchstaben hervorgelockt hat.

Herr Bankier Jacques Gardiny betritt den Saal. Seit gestern scheint sich seine Lähmung gebessert zu haben. Denn er vermag, gestützt von seiner Krankenschwester, bis zu seinem Stuhl zu gelangen. Er schreitet einher, gespreizt und steif wie ein Storch ...

Gelbe Vorhänge verhüllen die Fenster, die gen Osten liegen. Darum ist das Licht, das über dem Saal liegt, angenehm gedämpft. Albert hat zwei Tassen Kaffee getrunken, er beginnt aufzuwachen.

In der Tür erscheint Anni Rechsteiner, um ihren Gästen einen guten Morgen zu wünschen. Ihr rechter Arm liegt in einer weißen Binde. Fragen, die sich nach der Ursache der Verwundung erkundigen, versteht sie sanft, aber bestimmt zurückzuweisen. Beim Wachtmeister bleibt sie stehen, stützt die linke Hand auf den Tisch und erkundigt sich, ob Studer gut geschlafen habe. Studer nickt, er kann nicht sprechen, weil er den Mund voll hat. Es gelingt ihm endlich, das widerspenstige Weggli zu schlucken. Dann legt er seine große Hand mit den spachtelförmigen Fingerspitzen auf die kleine Hand des Anni und flüstert der Frau zu:

»Heute mittag bist du frei!« Er fühlt, wie die Frau am ganzen Körper zittert, die Hand krampft sich um die Tischkante, so daß die Knöchel weiß werden. Es ist ihm ganz gleichgültig, daß die Augen aller Gäste auf ihn gerichtet sind. Mögen sie glotzen! Er ist genau so elegant wie sie, sein grauer Flanellanzug sitzt gut, nur an den Oberärmeln ist er schon ein wenig ausgebeult. Dagegen ist nichts zu machen ... Entweder hat man Muskeln oder man hat keine – nid wahr?

Ottilia Buffatto kommt mit zwei riesigen Metallkannen: Kaffee, Milch. Sie sammelt die kleinen Kännchen auf den Tischen ein, füllt sie von neuem, verteilt sie. Das hat Studer noch nie gesehen. Darum fragt er das Anni, warum sie sich nicht begnüge, eine Portion zu geben? – Die Leute sollen nicht hungrig und durstig vom Tisch aufstehen, meint die Wirtin. Ein gutes Prinzip, findet der Wachtmeister, aber ob es auch ökonomisch sei? ... Das Anni zuckt die Achseln und geht weiter durch den Saal, grüßt hier, grüßt dort. Wahrlich, eine tapfere Frau! Eine Frau, die sich ohne fremde Hilfe zurechtfindet.

Studer ballt die Serviette zusammen, legt sie auf den Tisch – wie er sieht, daß Albert die seine zusammenlegt und sie in den Ring stößt, winkt er ab: »Unnötig!« Und flüstert, als er neben Albert steht: – Das Postauto fahre elf Uhr dreißig. Bis dahin werde alles erledigt sein.

Neun Uhr. Ein Gang zur Post. Frau Gloor, hinter ihrem Schalter, nickt freundlich guten Morgen. Dann reicht sie dem Wachtmeister zwei Telegramme durch das Schaltertürlein.

Auf der Bank an der Kirchenmauer, vor den frischen Gräbern, vor den alten, die schon Blumenbeete sind, öffnet sie der Wachtmeister. Aus einem Fach seiner Brieftasche zieht er einen Zettel, über und über bedeckt mit Zahlen und Buchstaben. Albert muß sein Notizbuch zur Hand nehmen, und der Wachtmeister diktiert langsam, Buchstaben nach Buchstaben, die Übersetzung des einen im Polkod verfaßten Telegrammes. Das Mannheimer Telegramm ist lang, Studer diktiert schnell – dennoch beginnen die Augen des jungen Polizeikorporals zu glühen. Der Inhalt scheint ihn doch zu überraschen. Das Pariser Telegramm übersetzt Studer selbst – wenn man denkt, daß man nun einen Schwiegersohn hat, der nicht einmal ordentlich Französisch kann! Zum Güggelpicke isch das!

Halb zehn. Es reicht gerade noch für einen Besuch drüben in der Hütte des Velohändlers ... Das Bäärli kommt traurig einen guten Morgen wünschen, wedelt mit dem

Schweif, viele Fragen stehen in seinen Augen. »Ja«, sagt der Wachtmeister, »dein Herr wird kommen, heute abend noch ... Oder spätestens morgen früh ... Guten Tag, Fräulein Loppacher. Was ich fragen wollte ... Gedenken Sie nach St. Gallen zurückzukehren?« Schweigen. Langes Schweigen. Dann stockend: »Wenn mich der Ernst will, so bleib' ich hier.« »Das ist vernünftig«, meint Studer und fügt hinzu, während er auf den Stoßzähnen grinst: »Aber mit Maniküre wird es, fürcht' ich, vorbei sein ...« Statt einer Antwort streckt Martha Loppacher wortlos die beiden Hände aus, Rücken nach oben. Die Nägel sind kurz geschnitten, an vielen Stellen ist die künstliche Glasur abgebröckelt. Die Wangen sind rot – aber es ist ein echtes Rot ... Was will man mehr? Am liebsten möchte der Wachtmeister der Martha Loppacher die Wangen tätscheln wie einem folgsamen Kind. Da dies nicht geht, sagt er bloß: »Recht so, schön! Aber nach all den Lügen, die du mir verzapft hast, Martheli, mußt du mir auch einen Dienst erweisen. Ich erwart' dich um halb elf Uhr drüben im Hotel. Zeig deine Uhr!« Vergleichen ... Martha Loppachers Armbanduhr geht um fünf Minuten vor. »Also punkt halb elf, droben im Gang, vor dem Zimmer Nummer acht ... Verstanden?« Das ehemalige Bürofräulein nickt. »Was macht der Fritz?« Der Fritz sitzt auf einem Deckenhaufen im Raume neben der Werkstatt und hält in der rechten Hand eine Milchflasche mit einem ... einem ... Nuckerli nennt man doch diese Kautschukstöpsel? Er ist damit beschäftigt, dem Färli Ideli den Morgenimbiß einzuverleiben. Studer hält sich nicht lange auf, er will den armen Tropf, der ihn einmal, in einer Nacht, so gutmütig unterhalten hat, der ihn aufgenommen hat in den Kreis der Tiere, nicht nutzlos quälen. – Er solle einmal einen Brief schreiben, sagt der Wachtmeister. Adresse: Wachtmeister Jakob Studer, Thunstraße 98, Bern. Ob er sich das merken könne? Ja? Gut. Und den Ernscht, »de suuber Feger«, solle er grüßen und viel Glück zur Hochzeit wünschen.

Zehn Uhr. Auf der Wiese hinterm Haus hat der Küng Johannes Gras gemäht. Jetzt zieht er einen Zweiräderkarren an den Mahden entlang und lädt auf. Der Mann schafft sorgfältig, das muß man ihm lassen. Nun, ganz allein wird das Anni nicht sein, wenn Studer nach Bern zurückgekehrt ist. Das ist tröstlich.

Über die Wiese kommen vier Herren: Verhörrichter Dr. Schläpfer, Polizeichef Zuberbühler, ein namenloser Aktuar und ein ebenso namenloser Fahnder. Oder sagen sie hier im Appenzellischen Polizist?

»Wir haben«, sagt Dr. Schläpfer, »genau nach Ihren Instruktionen gehandelt, Herr Wachtmeister... (»Herr! Potztuusig!«)... Übrigens haben wir auch Bericht von der Bundesanwaltschaft erhalten. Im letzten Moment hat sich der Chef der St. Galler Polizei noch anschließen wollen, aber ich habe mich telephonisch für die Begleitung bedankt. Wir machen die Sache besser entre nous – unter uns.« »Ich verstehe Französisch, Herr Doktor«, sagte Studer milde, und da wird der Verhörrichter rot. »Jaja, ich weiß schon, Herr Wachtmeister, in Bern sind die Herren des Lobes voll über Sie und bedauern nur eines, daß Sie immer und immer wieder Anlaß zu... zu...« – »A bah!« unterbricht Studer den studierten Herrn, der sich verhaspelt. – Das sei ja gleichgültig! Hauptsache sei, daß man endlich gewissen

Herren das Handwerk legen könne. »Mit Vorsicht, Herr Wachtmeister! Mit großer Vorsicht! Es könnten sich sonst diplomatische Komplika...« – In Bern, sagt Wachtmeister Studer, seien die Herren afa Hosesch... – »Bsch, Herr Wachtmeister, bsch! Nöd so luut!«

Die Hintertür, die Studer so oft benützt hat... Er winkt den vier Mannen, zu warten. Dann schleicht er sich ins Haus, späht in den Speisesaal – Jacques Gardiny, Bankier, ist nicht mehr da – kehrt zurück, legt den Zeigefinger auf die Lippen und setzt sich auf eine Treppenstufe. Er zieht seine Schuhe aus, die vier Herren folgen seinem Beispiel, und so, auf bloßen Socken, schleichen sie die Treppen hinauf. Keine Latte knackt im Gang, die Angeln von Türe Nr. 8 kreischen nicht – ungesehen, ungehört gelangt die Gruppe in Studers Zimmer. Albert, der seinen Schwiegervater vor des Velohändlers Haus verlassen hat, steht am Fenster. Er wird vorgestellt. »Sehr erfreut!« – »Gleichfalls!« Alles im Flüsterton.

Was zieht der Wachtmeister unter seiner Matratze hervor? Die Herren stellen erstaunt fest, daß es Stroh ist, feuchtes Stroh.

»Es ist ein alter Trick«, flüstert Wachtmeister Studer. »Ich hätte gern den andern angewandt...«

Eine Stimme auf dem Gange fragt, ob man den Herrn Rechsteiner besuchen dürfe? – Die Wirtin sagt ja. »Der Pfarrer!« flüstert Studer. »Noch eine Minute! Wie gesagt, mein Trick ist alt, ich hab' ihn, wie ich noch jung war, in einem Buche gelesen – in einem sehr bekannten Buch.«

Leise schleicht Studer auf den Gang hinaus. Vor einer Tür, hinten im Gang, schichtet er das feuchte Stroh auf, kehrt zurück, gibt seine Anordnungen. Dann zieht er eine

Schachtel aus der Tasche, reibt ein Zündholz an – in seinem eigenen Zimmer, damit das Geräusch ihn nur ja nicht verrate, ein Stück Zeitungspapier lodert auf (die Herren staunen, wie gelenkig dieser ältere Mann trotz seiner Schwere ist). Studer steckt es unters Stroh, es mottet, raucht – aber die Zugluft kommt von Zimmer Nr. 8 und preßt den Rauch durch die Ritzen der Tür ohne Nummer, der Tür, die in Rechsteiners Schlafkammer führt – und nun brüllen sechs Männer im Chor: »Feuer! Feuer!« Stille. Noch einmal: »Feuer! Feuer!«

Ein Klicken … Aber nicht die Tür, vor der das Stroh raucht, geht auf, sondern eine Tür rechts von ihr, in einem dunklen Gang.

Im Rahmen steht der Rechsteiner. Sein Nachthemd hat er in ein Paar Hosen gestopft, einen Kittel darüber angelegt. Er steht da und blinzelt in den Rauch. Hinter ihm steht Pfarrer de Quervain. Die Türe des Zimmers Nr. 7 geht ebenfalls auf. Herr Gardiny, Bankier aus Paris, tut ein paar zögernde Schritte in den Gang hinaus. Es herrscht ein wenig Verwirrung. Eilige Schritte kommen die Treppe hinauf – zuerst erscheint Ottilia Buffatto, dann Fräulein Loppacher, endlich der Küng Johannes. An ihn wendet sich Studer. Er solle das Stroh zum Fenster hinauswerfen. Dies geschieht. Der Rauch verweht. Dann sagt Wachtmeister Studer von der Fahndungspolizei Bern – und er spricht schriftdeutsch, nicht besser und nicht schlechter als Martha Loppacher:

»Darf ich die Herren bitten, einzutreten?«

Karl Rechsteiner, der Wirt des Hotels »zum Hirschen«, wird bleich, wankt. Aber zwei Frauen stützen ihn – das

Anni rechts, das Otti links. Und so geführt, gelingt es ihm, sein Bett zu erreichen.

Dr. Salvisberg beugt sich über seinen Patienten. Es ist klar, daß der Rechsteiner kein Theater spielt, sein Gesicht ist grünlich. Studer bringt, ohne daß ihn der Arzt darum gebeten hätte, aus der Nachttischschublade drüben, im Schlafzimmer der Frau, die Schachtel mit den Kampferölampullen, die Spritze samt Zubehör. Bald kann der Rechsteiner wieder schnaufen. Aber Doktor Salvisberg schüttelt bedenklich den Kopf und flüstert dann: »Er wird nicht mehr lange leben ... Das Herz!« ...

Auch Frau Anni Rechsteiner hat die Worte gehört. Schweigend richtet sie ihrem sterbenden Mann die Kissen – und vergißt ihre eigene Wunde, die Wunde, die ihr der Mann gestern beigebracht hat, wie sie zur Unzeit aus dem Schlaf erwacht ist – trotz des Schlafmittels –, und wie sie ihn gesehen hat zur Tür hereinkommen und sich über ihr Bett beugen. Den Stich hat sie abwehren können, dann hat sie geschrien, ist schreiend aus dem Bett gesprungen, ihrem Mann nach, ins Nebenzimmer, hat die Tür aufgerissen – und ist in Ohnmacht gefallen, gerade als Studer ihr zur Hilfe eilte ...

Sie schüttelt die Kissen, sie legt ihren Mann zurecht, deckt ihn zu, holt im Nebenzimmer ein Fläschchen, netzt ihr Taschentuch damit und befeuchtet des Kranken Stirne mit dem wohlriechenden Lavendelwasser. Dann setzt sie sich neben ihn, nimmt seine Hand in die ihre – und plötzlich blickt sie auf. Ihre Augen suchen, suchen ... Endlich haben sie Studer gefunden. Der Blick der Frau ist vorwurfsvoll.

Nicht alle haben Platz im Zimmer, darum hat man die Nebenpersonen in Frau Annis Zimmer gesetzt – die Tür bleibt offen, so können auch sie alles hören. Im Zimmer selbst sind anwesend: Verhörrichter und Polizeichef, Wachtmeister Studer und sein Schwiegersohn, Bankier Gardiny aus Paris ... Ottilia Buffatto und Martha Loppacher sitzen im Nebenzimmer, hinter dem Aktuar, der einen Block auf den Knien hält. Dr. Salvisberg sitzt links vom Kranken auf dem Sims des offenen Fensters.

Rechsteiner hat die Augen weit geöffnet, und seine Blicke wandern zwischen dem Wachtmeister und seiner Frau hin und her.

»Versteht Ihr mich, Rechsteiner?« fragte Studer. Der Kranke nickte. »Soll ich erzählen? Und wollt Ihr, wenn ich mich trompiere, unterbrechen und richtigstellen?« Wieder nickte der Kranke. Und so begann der Berner Fahnder zu sprechen.

»Was mir an dem Fall zuerst auffiel, war die Mühe, die sich der Täter gegeben hatte, den Verdacht auf mehrere Personen zu verteilen. Die Stahlspeiche sollte den Velohändler verdächtigen – die Briefe aber Martha Loppacher. Warum, das war die erste Frage, die ich mir stellte, warum waren nur die Briefe mitgenommen worden und nicht auch die Enveloppen? Einfache Antwort: Ohne die leeren Enveloppen wäre man gar nicht auf den Gedanken gekommen, daß Martha Loppachers Briefe in der Tasche des Ermordeten steckten. Ich nahm die Umschläge an mich und bat die Behörde, mir drei zu überlassen. Sie werden sich erinnern, Herr Verhörrichter, daß ich diese Bitte laut gestellt habe –

die Saaltochter war in unserer Nähe, die Wirtin, der Küng... Auch Herr Krock war nicht weit. Wenn ich drei Umschläge zurückbehielt, mußte der Täter denken, daß ich an diesen Enveloppen etwas entdeckt hatte – er mußte also Angst bekommen und in der Angst irgend etwas Dummes tun.

Er vergiftete meinen Wermut...«

Erstaunte Rufe... Dr. Schläpfer wiederholte:

»Ihren Wermut?«

»Ja«, sagte Studer trocken. »Ich hab' mein Glas gegen das des Herrn Krock eingetauscht. Und wenn Ihr die Fortsetzung meiner Geschichte hört, werdet Ihr mit dem Joachim Krock kein Mitleid mehr empfinden...

Und übrigens war das Glas dem Krock bestimmt, nid wahr, Rechsteiner?«

Der Kranke nickte, nickte lange. Dann hob sich seine Hand, die einem Meerkrebs mit bleichem Kalkpanzer glich, sie hob sich und deutete in den Hintergrund, auf die Türe zum Nebenzimmer, wo die Saaltochter Ottilia Buffatto neben dem Bürofräulein Martha Loppacher saß...

»Gegen Abend«, sagte Rechsteiner, und er sprach keuchend und rasselnd – Studer mußte an eine Baggermaschine denken, wie man sie braucht, um versandete Häfen und Flüsse zu reinigen – in ihren riesigen Schöpfern fördern sie alles mögliche zutage: Sand, Unrat und bisweilen Muscheln, deren Außenseite unansehnlich ist, aber innen glänzt und schimmert in allen Regenbogenfarben, der Perlmutter. – »Gegen Abend hat sich das Anni (vorsichtig und zart sprach der Wirt den Namen seiner Frau aus) stets hingelegt. Da bin ich aufgestanden und hab' das Schächteli genommen. Hier«, sagte er und zog die Schublade des Nachttisches auf, »hab' ich einen Spritkocher. Und hier einen Eisenlöffel. Und leere Fläschli gibt's genug bei mir...«, er versuchte zu lachen, aber es kam nur ein Krächzen aus seinem Hals, das in einen breiigen Husten überging, »ich hab' die Kügeli nach und nach in den mit Wasser gefüllten Löffel getan und über der Flamme erhitzt. Dann die Lösung ins Fläschlein geleert. Bin hinuntergeschlichen – durch Annis Zimmer. ›Schenk Wermut ein!‹ hab' ich dem Otti befohlen. ›Wo sitzt der Krock?‹ hab' ich gefragt. Sie hat mir den Platz gezeigt. Da hab' ich den Inhalt des Fläschlis ins Glas geleert, das Otti hat den Wermut nachgefüllt. Aber das Meitschi hat mich betrogen! Betrogen! Nicht dir galt es, Studer! Sicher nicht dir! Sondern dem Hundsfott, dem Krock!«

Erschöpft schwieg er still.

»Ich weiß, Rechsteiner«, sagte Studer. »Ihr habt gutmachen wollen. Und die anderen haben nicht gewollt.«

»Woher, wo... woher weißt du das, Studer?«

Der Wachtmeister zog eine Photographie aus der Tasche. Sie sah aus wie ein Dokument, das uralt ist, gebleicht von der Sonne, vom Wind, auch im Regen ist es gelegen – aber dennoch, wenn man sich Mühe gibt, läßt es sich entziffern. Ein paar Worte fehlten, aber der Sinn ließ sich ohne weiteres erraten.

».aß ..r .echst.iner ..denkt, alle S.hulds...e, .ie .r hat unterschreiben .asse. zu ..rnichten .nd .r sich z. d.ese. .we.k mit ..r Be.ö.de i. V.rbi..ung setzen ..ll.«

»Daß der Rechsteiner bedenkt, alle Schuldscheine, die er hat unterschreiben lassen, zu vernichten und er sich zu diesem Zweck mit der Behörde in Verbindung setzen will.«

Studer las es laut vor und fragte hinüber zur Türe, ob es richtig sei.

Martha Loppacher nickte.

Am letzten Dienstag habe sie das geschrieben. Aber zwischen Dienstag und Samstag läge eine Ewigkeit...

»Ewigkeit!« Studer lächelte. »Die Ewigkeit bestand darin, daß sich in dieser Zeit das gute Marthi in ›de suuber Feger, de Grofe-n-Ernscht‹ (Studer versuchte dies im Appenzeller Dialekt zu sagen, aber es mißriet ihm so vollkommen, daß alle, trotz des sterbenden Mannes, lachen mußten – übrigens lachte auch der Rechsteiner mit) verliebt hat«, beendete Studer den Satz, nachdem das Gelächter sich gelegt hatte.

Die Stimmung im Zimmer war sehr merkwürdig. Es hatte gar nicht den Anschein, als werde die Aufklärung eines Doppelmordes verhandelt – es schien eher, als sei man zusammengekommen, um sich Märli z'verzelle. Und Studer gab sich Mühe, diese Stimmung aufrechtzuerhalten.

»Um alles zu verstehen, müßte man von vorne beginnen«, sagte er, legte die Ellbogen auf die gespreizten Schenkel und faltete die Hände. Seine Daumennägel interessierten ihn ungemein – darum hob er den Blick nicht.

»Ein Mann verläßt seine Heimat, damals, als nach vier Jahren Krieg endlich der Frieden geschlossen wurde. Er geht nach Deutschland. In der Schweiz hat er in Hotels geschafft, zuerst als Chasseur, dann als Etagenkellner – und zum Schluß hat man ihm erlaubt, an der Table d'hôte zu servieren. Er geht nach Deutschland, denn er denkt ganz richtig, daß in diesem ausgehungerten Land, das zum Teil von fremden Truppen besetzt ist, ein Rückschlag auf das

Elendsleben während des Krieges folgen wird. Er geht aber nicht etwa nach Berlin, sondern nach Mannheim. Die Pfalz ist besetzt, auch Ludwigshafen – wahrscheinlich werden die fremden Offiziere nach Mannheim kommen. Er findet eine Stellung als Maître d'hôtel im Kaiserhof. Dort lernt er das Nachkriegsleben kennen: deutsche Bankiers, französische, amerikanische. Mit einem Franzosen freundet er sich besonders an – soweit von Freundschaft zwischen einem Großkapitalisten und einem Kellner die Rede sein kann. Rechsteiner ist klug, geschickt. Es gelingt ihm, den Franzosen mit dem Bürgermeister der Stadt zusammmenzubringen. Wie – ist hier gleichgültig. Ein großer Betrug gelingt – Gold wird verschoben, Rechsteiner hilft. Aber der Franzose ist nicht ein Mann, der sich unbesehen in die Hände eines Untergebenen gibt. Eine dunkle Scheckgeschichte wird inszeniert (Helfer gibt es ja zu dieser Zeit genug), Rechsteiner wird beschuldigt, einen Scheck von 50 000 Mark gefälscht zu haben, er wird verhaftet – der Franzose besticht die Gefangenenwärter (bedenkt, daß dies während des Umsturzes war!). Rechsteiner kann fliehen und kommt in die Schweiz zurück. In Zürich trifft er den Franzosen wieder, der ihm folgendes erklärt: Die Gerichtsverhandlung in Mannheim hat stattgefunden, Rechsteiner ist zu zehn Jahren Zuchthaus verurteilt worden, das Deutsche Reich kann jederzeit die Auslieferung des Verurteilten beantragen – aber: Ihm werde nichts geschehen, solange er sich den Anordnungen des Franzosen füge ... Natürlich, sobald er unfolgsam sei, werde ein Brief abgehen an das Polizeipräsidium in Mannheim, seine Auslieferung werde verlangt werden ... Doch liege diese Möglichkeit durchaus nicht in den Absichten des Franzosen. Im Gegenteil. Hier seien hunderttausend Franken, Rechsteiner möge sich mit dem Gelde ein Hotel kaufen – später werde man weiter sehen... Übrigens, hier seien Papiere auf den Namen Rechsteiner (der Mann dort im Bett heißt anders, er hat den Namen seiner Mutter angenommen). Rechsteiner ist zufrieden. Er kommt nach St. Gallen, arbeitet dort in einem Hotel als Chef de Réception, lernt die Gouvernante kennen, verliebt sich in sie. Die beiden beschließen, zu heiraten und sich selbständig zu machen. Ankauf des Hotels »zum Hirschen« in Schwarzenstein. Fünf Jahre Glück, Rechsteiner hat das deutsche Abenteuer vergessen, da wird es ihm wieder in Erinnerung gebracht.

Langsam beginnt im Appenzellerland die Krise der Stikkerei. Plötzlich erhält Rechsteiner einen Brief aus St. Gallen mit der Unterschrift des Franzosen, er habe sich in allem und jedem nach den Vorschriften des Auskunfteibüros Joachim Krock zu richten.

Die Vorschriften lassen nicht lange auf sich warten. Rechsteiner soll der Vermittler sein. Er soll all seine Nachbarn dahin bringen, daß sie von ihm Geld leihen – er ist beliebt in der Gegend, niemand mißtraut ihm. Es gelingt ihm, die Scheine unterzeichnen zu lassen. Die Zinsen, die jedes Jahr eingehen, führt er an das Büro in St. Gallen ab.

Der Franzose hat eigentlich seine Methode wenig geändert. Wie er damals ein Land, das durch Krieg, Umsturz, Besetzung kopfscheu geworden war, systematisch ausgesaugt hat – so ›investiert‹ er jetzt ein gewisses Kapital – ebenfalls in einem Kanton, in dem die Arbeitslosigkeit die Köpfe verstört. Er wird zuwarten – zwei Jahre, drei Jahre. Dann das Geld einfordern und auf diese Weise billig zu Land kommen. Was er mit dem vielen Land tun wird, weiß ich nicht – und es geht mich gar nichts an.

Ich habe den Mann, der hinter der Auskunftei Krock steht und durch sie den Rechsteiner tyrannisiert, einen Franzosen genannt. Das ist falsch. Soviel ich weiß – und mein Wissen stammt aus sicherer Quelle, ich habe einen guten Freund, der bei der Pariser Police judiciaire eine hohe Stelle bekleidet – ist der Mann genau so wenig Franzose wie die anderen großen Schwindler, die wie Maden auf Frankreichs Land schmarotzen. Aber auf dem Papier ist er Franzose – nicht wahr, Herr Gardiny?«

Der Angriff war so unerwartet, daß alle im Zimmer zusammenzuckten. Nur der Pariser Bankier blieb regungslos sitzen. Nach einem Augenblick führte er die behandschuhte Hand zum Mund, um ein Gähnen zu verbergen.

»Rechsteiner wird krank«, fuhr Studer fort. »Da man zu einem Kranken kein Vertrauen haben kann, wird ihm jemand ins Haus gesetzt, der ihn unausgesetzt beobachten muß ... Nicht wahr, Otti?«

»Ich bin für Sie nicht ›Otti‹, sondern Fräulein Buffatto!« erklang es gereizt von der Türe her. Lachen, bedrücktes Lachen. Studer fuhr fort:

»Rechsteiner ist wirklich krank, er hat die Auszehrung. Nach Aussage des Doktors hat er noch drei, vier Jahre zu leben. Und um wenigstens in Ruhe sterben zu können, kommt ihm ein glänzender Gedanke. Er wird nicht mehr aufstehen – er wird behaupten, er sei gelähmt. Doktor Salvisberg, der den Kranken behandelt hat, wird mir bestätigen, daß eine Lähmung in dem Zustande, in dem sich der

Kranke befindet, nur sehr schwer festzustellen ist. Und dann ist ja ...«

»... für einen hochgradig Tuberkulösen«, unterbrach der Arzt den Wachtmeister, »eine horizontale – eine waagrechte Körperlage durchaus indiziert – absolut am Platze!«

»Das wollte ich sagen ... Rechsteiner aber hat Herrn Gardinys Kapital nicht nur in Schwarzenstein investiert, sondern auch in den umliegenden Dörfern. Fräulein Buffatto (die Betonung der beiden letzten Worte trieb der Saaltochter das Blut ins Gesicht) übernahm es, den Kontakt zwischen Gläubigern und Schuldnern aufrechtzuerhalten ...«

Schweigen. Es war ein trübes Schweigen, es wogte durchs Zimmer, bildete Wirbel. Dann räusperte sich vor Ungeduld der eine, der andere, der Aktuar hustete. Herr Gardiny, Bankier aus Paris, zog eine goldene Dose aus der Tasche, entnahm ihr eine Zigarette, zündete sie an einem Feuerzeug an, Wachtmeister Studer stand auf, riß dem Herrn die Zigarette aus dem Mund, warf sie zum Fenster hinaus, setzte sich wieder und sagte trocken: »Gell Rechsteiner, das Rauchen bringt dich zum Husten.« Der Wirt nickte eifrig, ein schüchternes Lächeln entstand in seinen Mundwinkeln, er nahm die Hand seiner Frau.

»Ich bin gleich fertig«, sagte Studer. »Martha Loppacher schreibt nach St. Gallen. Dort beschließt man – wie man es im Kriege bei verdächtigen Zivilisten tut –, in den ›Hirschen‹ eine Einquartierung zu legen. Jean Stieger übernimmt die Rolle ... Noch eine Zwischenbemerkung: Da dieses ganze Gesindel, Krock, Stieger und Gardiny, wie alle Lumpen mißtrauisch ist, stellt die Auskunftei in St. Gallen noch den Bruder des Velohändlers als Ausläufer an. Ernst Graf, der Velohändler, ist der Nachbar des Rechsteiners – durch seinen Bruder hofft man eine zweite Überwachung des ›Hirschen‹ zu erlangen. Es gelingt nicht ganz.

Jean Stieger kommt. Fräulein Ottilia Buffatto hat es so gut verstanden, den Kranken mit seiner Frau zu entzweien, daß der Rechsteiner die Kontrolle der Abrechnungen der Italienerin übergibt. Aber die Frau braucht Geld: eine Kuh ist vor drei Monaten zugrunde gegangen, sie ist ersetzt worden, das Anni will dem Mann jede Sorge ersparen – eine neue Kuh wird gekauft, aber nun fehlen zweitausend Franken. Frau Rechsteiner hat noch einiges Erspartes, aber es ist in Aktien eines Bergbähnlis angelegt. Der Kurs der Aktien ist tief. Aber ihr Mann hat so oft vom St. Galler Büro des Krock gesprochen, die Wirtin hat die Adresse so oft gelesen, daß sie sich in aller Unschuld dorthin wendet ...«

Anni Rechsteiner sah ihren ehemaligen Schulschatz mit großen Augen an. Woher wußte der Mann das alles? Studer lächelte der Frau freundlich zu und fuhr fort:

»Jean Stieger bringt das Geld. Aber er will der Frau das Geld erst dann geben, wenn sie ihrer Saaltochter einen Tag freigegeben hat ... Wozu? ... Ich brauche wohl nicht deutlicher zu werden. Dabei weiß der Stieger, der Tubel, gar nicht, daß diese Saaltochter zu seiner Partei gehört. Er ist ein junger Schnuufer, der nur durch Protektion ins Geschäft geraten ist. Die Wirtin weigert sich – es ist ihr Geld, das der Bursche hat, er hat kein Recht, Bedingungen zu stellen.

Aufgeregt erscheint sie im Zimmer ihres Mannes und erzählt ihm die Ankunft eines Verteters von Joachim Krock.

Kaum ist sie fort, erscheint die Buffatto – pardon, Fräulein Buffatto – und auch diese beklagt sich wild über den jungen Schnuufer...

Dann ist der Rechsteiner wieder allein. Wahrscheinlich hat er nachgedacht: Unter der Fuchtel des Franzosen zu sein, war arg, aber sich nun auch noch von einem grausamen jungen Bürschlein plagen zu lassen – das ist zu viel! Außerdem hat der Rechsteiner ein schlechtes Gewissen – hat er nicht schon begonnen, die Schuldscheine einzusammeln? Selber kann er's nicht tun. Er muß vorsichtig sein. Freitag hat er die Martha Loppacher bei den Bauern herumgeschickt – und sie hat die Nachricht gebracht, das Büro Krock habe mit den Zahlungsforderungen schon eingesetzt...

Der Gang ist leer. Es ist halb zehn. Ich habe dem Rechsteiner selbst erzählt, daß wir erst um halb elf Uhr mit den Kutschen heimfahren wollten. ... Der Wirt denkt, er habe Zeit. Jeden Tag – seit dem Augenblick, da er die Lähmung vorzutäuschen begann – ist er aufgestanden, im Zimmer hin und her gegangen – manchmal auch in der Nacht, wenn die Frau todmüde schlief, ist er bis in die Küche hinab und hinauf zum Estrich gestiegen... Das kommt ihm heute zugut. Er schleicht sich zur Hintertür hinaus. Welche Waffe wählen? Da sieht er im Gras die rostige Speiche eines Velorades. Der Küng ist im Stall beschäftigt, neben dem Stall liegt die Werkzeugkammer, auch einen Schraubstock hat's dort... Fünf Minuten und die Speiche ist spitz!... Weitere fünf Minuten und der Griff ist fertig – ein Schraubengewinde ist schnell in das stumpfe Ende geschnitten, den Griff braucht man nur anzubohren, dann greift das Gewinde ohne weiteres in das Holzloch. Der Rechsteiner lauert, er zittert vor Kälte und Angst und Erwartung – zwanzig Minuten vor zehn tritt Jean Stieger aus der Hintertür (wahrscheinlich sucht er nach der Saaltochter) – und Rechsteiner winkt ihm. Die beiden haben sich nie gesehen, aber der Wirt hat zwei Beschreibungen gehört, das genügt. Er stellt sich flüsternd vor, erzählt, er müsse etwas Wichtiges mitteilen, lockt den Jungen ins Gärtli, und dann ...«

»Höör uuuf, Stuuuder! Höööör uuuuf! Biiitte, hhhör uuf ...«

Das Gewimmer vom Bett war nicht zu ertragen.

»Ich bin fertig«, sagte der Wachtmeister. »Ah, noch eins. Wo ist der Herr Pfarrer?«

Aus Annis Schlafkammer kam eine tiefe Stimme: »Hier!«

»Heit-r das Züüg?« fragte Studer.

»Eh natüürli! Wa meinet-r au, Wachtmeister?«

Ungern nur machte »Fräulein« Buffatto Platz. Sie sah aufmerksam auf Herrn Gardiny – aber der Bankier bewegte sich nicht. So mußte es die Saaltochter geschehen lassen, daß ein Packen Schuldbriefe dem Wachtmeister übergeben wurden. Er zählte sie rasch durch. Dreißig Stück – und gab sie weiter an den Verhörrichter.

»Das ist mein Eigentum«, sagte Herr Gardiny mit leiser, schier unbeteiligter Stimme.

»So?« meinte Dr. Schläpfer. »Die Schuldscheine sind alle auf den Namen Rechsteiner... Rechsteiner, verzichten Sie auf Ihre Ansprüche?«

»I verzichte – no so gärn ...«

»Zu den Akten Krock«, sagte Dr. Schläpfer und gab das Päckli seinem Schreiber.

Studer öffnete die Tür. Langsam verließ die Gesellschaft den Raum. Der Wachtmeister hörte noch, wie der Polizeichef Zuberbühler den Doktor Salvisberg fragte:

»Ist er transportfähig?«

»Uusg'schlosse!« sagte Dr. Salvisberg böse. – Wenn der Rechsteiner auch heute und gestern und vorgestern im Haus herumgespenstert sei, so sei er trotzdem ein verlorener Mann. Als Arzt übernehme er keine Verantwortung. Der Polizeichef blickte hinüber zum Verhörrichter – der schüttelte den Kopf. Dann aber machte er dem Polizisten ein Zeichen; der Mann nickte und drängte sich hinter Ottilia zur Tür hinaus. »Nehmen Sie die Buffatto mit«, sagte er draußen.

Zuberbühler pfiff unten, laut und trillernd, mit seiner Polizeipfeife. Die Autos der Behörde fuhren an. »Hat's Platz für mich und meinen Schwiegersohn?« fragte Studer. Natürlich hatte es Platz. Dr. Schläpfer, Verhörrichter in Heiden, konnte dem Berner Wachtmeister gar nicht so recht seine Befriedigung zeigen. »Sie essen heut' abend natürlich bei uns«, sagte er, während das Auto anfuhr. Studer schüttelte den Kopf. Er gähnte. Wenn man ihn nur in Arbon absetzen wollte, dann sei er zufrieden; er wolle schlafen, schlafen, schlafen ... Und heut' abend nach Bern zurückfahren.

Also geschah es auch.

Eines Mittags – mehrere Wochen waren seither vergangen – fand Studer auf seinem Teller einen Brief. Die Adresse war ein kalligraphisches Meisterwerk – und der Brief nicht minder. Er lautete:

»Sehr verehrter Herr Wachtmeister Studer!

Durch vorliegendes Schreiben erlaube ich mir, Sie mit einigen guten Nachrichten zu belästigen.« (Studer runzelte die Stirn und murmelte ›Chabis!‹) »Durch Ihre wertgeschätzte Vermittlung ist es gelungen, meinen Bruder Ernst dem Gefängnis sowohl als auch den Händen der Justiz zu entreißen. Er befindet sich jetzt in gesundem Zustande in seiner Werkstatt zu Schwarzenstein, allwohin ihm Fräulein Martha Loppacher als getreue Ehegattin gefolgt ist. Möge der Himmel den beiden Liebenden Glück und Wonne und ein zufriedenes Eheleben schenken. Auch die lieben Tiere erfreuen sich einer prächtigen Gesundheit, was ich auch von mir behaupten kann. Besonders scheint der Hund Bäärli oft nach dem Herrn Wachtmeister zu fragen. Mir hinwiederum ist es gelungen, im Hotel ›zum Hirschen‹ eine feste Anstellung zu finden, allwo ich mich betätige in Hof und Garten, in Feld und Wald, in Küche und Keller. Nach dem Tod ihres lieben Mannes ist Frau Anni Rechsteiner-Ibach recht einsam gewesen, doch war ihr der Zuspruch unseres lieben Herrn Pfarrers ein großer Trost. In der Hoffnung, daß dieser Brief den Herrn Wachtmeister und seine liebe Gattin bei guter Gesundheit findet, zeichnet hochachtungsvoll

Fritz Graf (genannt Grofe-Fritz).«

»Märci Hedy«, sagte Wachtmeister Studer, weil seine Frau ihm den Teller vollgeschöpft hatte. »Weißt«, meinte er nach einer Weile und rührte in seiner Suppe, »wenn du nid wärescht, so chönnt i hüt Hotelb'sitzer sy!«

Frau Studer seufzte – aber der Seufzer klang nicht echt. Als der Wachtmeister aufblickte, sah er seine Frau lächeln.

»Wa lachescht?«

»Oh, Köbu! Dank du dem Herrgott, daß du kes Hotel hescht!«

Worauf Studer wissen wollte, warum er Gott danken solle.

Die Antwort ließ nicht auf sich warten:

– Weil er sonst den ganzen Tag Billard spielen und zuviel Wermut trinken würde.